世界史とヨーロッパ

ヘロドトスからウォーラーステインまで

岡崎勝世

講談社現代新書

はじめに

「世界史」とは、何なのだろうか。

筆者は、現在の職を得る以前、ある高等学校で一〇年近く「世界史」の教師をつとめたことがある。この問題は、そのとき以来の筆者にとっての宿題であった。

歴史は「現在と過去との対話」だといわれ、ここから、必然的に「歴史は書きかえられる」といわれる。「現在」そのものが変化し、その「現在」から行われる「過去」への問いかけも、解答もまた変化するからである。本書は、ヨーロッパにおける世界史記述を対象とし、こうした「書きかえ」の様相を時代順に近代まで追究している。本書のこのような記述を通してめざしたのは、上の問いに対し筆者なりの解答を得るということでもあった。

本書の各章は時代別にたてられており、どの章も、「歴史観の世界観的基礎」と各時代の「歴史学・世界史像の特質」に関する記述との二つの「節」からなっている。第1節では、各時代における「現在」、あるいはその時代特有の「過去への問いかけ」のあり方を整理している。ここでは「世界史」に関わる最も基礎的要素として、

①「世界」が具体的にどのような内容・構造で考えられていたか、なかでも「ヨーロッパ」と「アジア」およびそこに住む人々に関してどのように考えられていたか、
②「時間」、あるいは「時代区分」がどのようなものととらえられていたか、

以上の二点に注目しながら整理を行う。そして、第2節で、各時代の歴史家や歴史学、世界史像の特徴などの記述を行っている。こうした構成を取ったのは、各時代における「現在」およびそこから発せられる「問いかけ」と、それに対する解答への営みが「世界史」として結実していく過程、その両者の関係が、より鮮明に描けると考えたからである。

なお、第5章で扱う「近代」については、一九世紀を中心に第二次大戦までを目処《めど》とした。本書で述べる「一九世紀西欧的世界史」が「戦後歴史学」によって継承され、そこから日本における「世界史」が出発したという事情があるからである。この事情とその後の日本の「世界史」の歩みについては別の「物語」が必要であるが、第5章に、わたしが考えている「物語」のごく簡略なアウトラインを加えることにした。

このような内容で上の問いに対し充分答えることができたかどうか、それについては読者諸氏のご判断を待つほかないが、少なくとも、ある一つの方向からの解答であることをお認め頂ければ、筆者としてそれに勝る喜びはない。

目次

第1章　ヨーロッパ古代の世界史記述——世界史記述の発生

ヘロドトス

トゥキュディデス

ヨーロッパにおける世界史記述の出発点となったのは、ローマで活動したギリシア人の歴史家ポリュビオスだとわたしは考えています。しかしこれには「歴史の祖」ヘロドトス以来のギリシア人の歴史記述やギリシア・ローマ文化とその歴史が深く絡んでいます。ここでは、まず、古代ギリシア人とローマ人の世界観を見ることから始めたいと思います。

第1節　歴史観の世界観的基礎

1――古代ギリシア人の「世界」と時間

三大陸からなる、平円盤状の世界

古代の人々にとっては、地理的知識の範囲が同時にかれらの「世界」でした。こうした意味での「世界」が記されている地図で現存する最古のものが、「**バビロニアの世界図**」です（前六〇〇年頃、**図1**）。そこにはバビロニア人の伝統的「世界」が描かれています。大

図1　バビロニアの世界図（600BC頃）

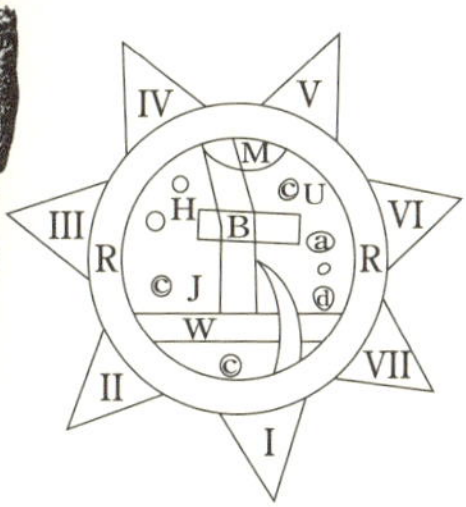

M＝山地　W＝湿地
J＝Bit-Jakin　H＝Habban
U＝Urashtu　B＝Babylon
a＝Assur　d＝Dêr　c＝都市
R＝鹹河
I,II,III,IV,V,VI,VII＝七つの島
（模式図）

（織田武雄『古地図の世界』講談社　1981より）

地は「苦い河（＝鹹《かん》河《が》）」に囲まれて平円盤状をなし、天空は七つの島が支えていると考えられていました。かれらの「世界」の範囲はまだメソポタミア地方のみで、チグリス、ユーフラテスの両大河、世界の中央にバビロン、周辺にいくつかの都市が書き込まれています。

バビロニア人の「世界」の後継者となったのがギリシア人です。**ホメーロス**（前八世紀）の『オデュッセイア』には、トロイからの帰途、嵐で流されたオデュッセウスが世界を取り巻く「オーケアノス」をめぐって世

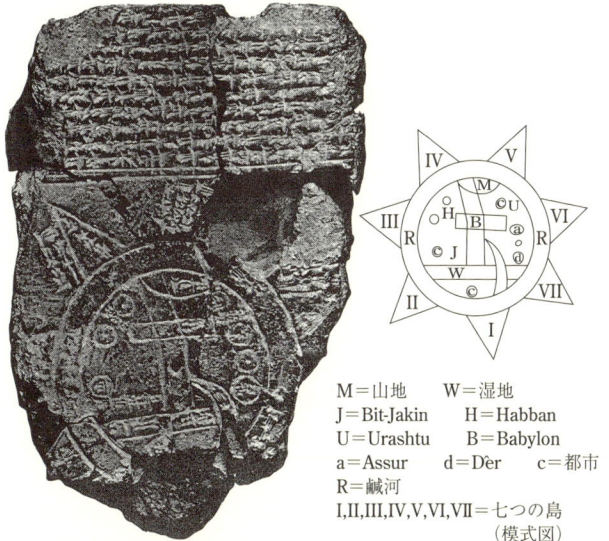

図2　ホメーロスの世界

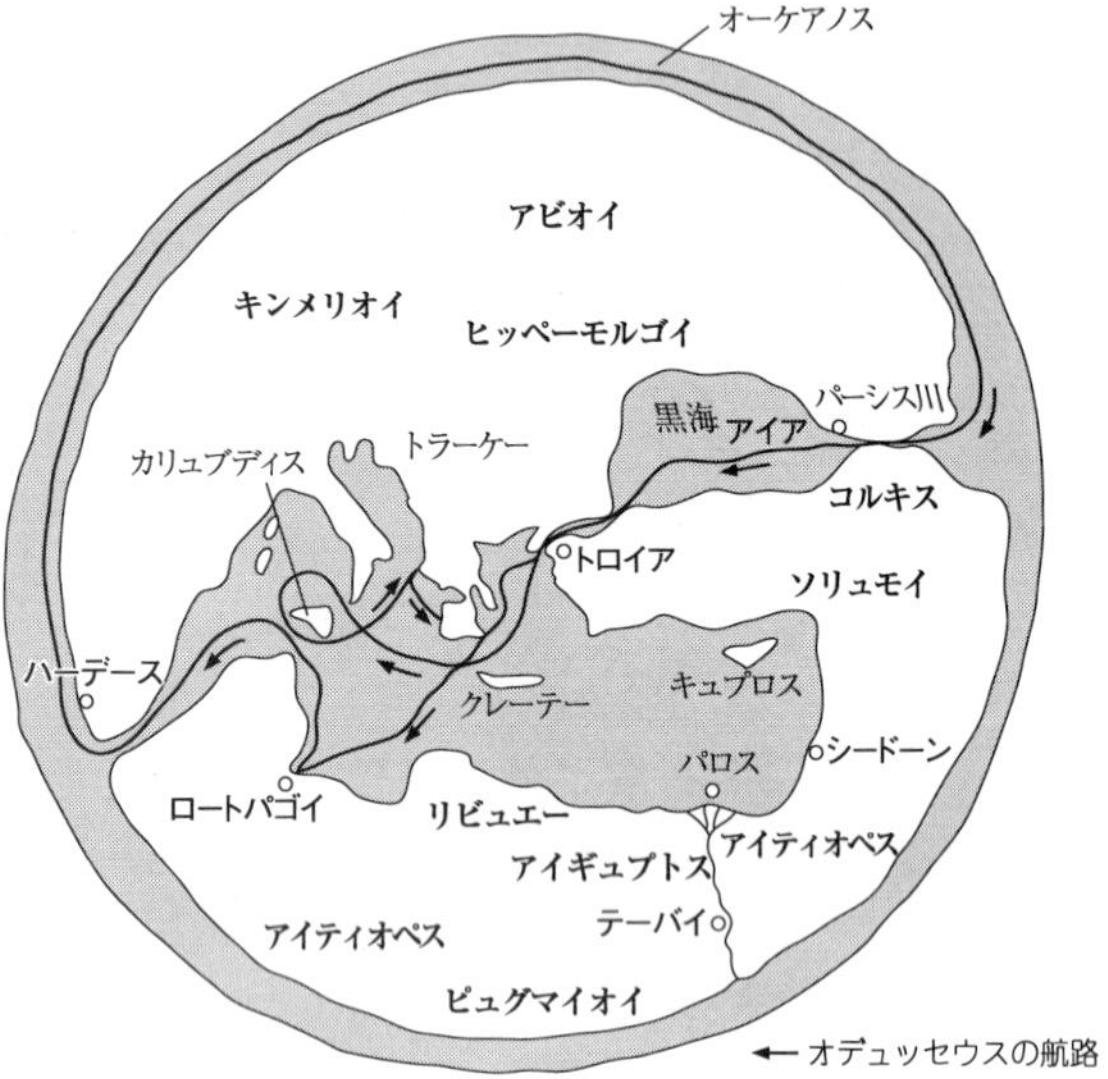

（太田秀通『ギリシアとオリエント』東京新聞出版局　1982より）

界東端の黒海入り口に至り、あらためて地中海に戻るという記述があります。ギリシア人は「バビロニア人の知恵」と呼んでバビロニア人の文化に深い尊敬を払っていました。ホメーロスの例は、「バビロニアの世界図」よりは「世界」が拡大されていますが、バビロニア人の世界観を継承したものであることがわかります。しかし、ここにはまだアジア、ヨーロッパという地名は現れません（**図2**）。

前六世紀までにギリシア人は黒海や地中海沿岸に盛んに植民ポリスを建設し、広く商業活動

古代ギリシア史の概要

第1期　ミケーネ時代（前2000年頃〜前12世紀）

古代ギリシア人の歴史は、インド・ヨーロッパ語族（印欧語族）の大移動の一環としてアカイア人とイオニア人がギリシア半島に南下してきたことに始まる。彼らは前1600年頃から、ホメーロスの叙事詩にも出てくるミケーネはじめ強力な王権を中心とした王国をギリシア各地に建設、西アジアの諸国とも盛んに交流していた。有名なトロイ戦争が行われたのはこの時代の末期。

第2期　暗黒時代（前12世紀〜前8世紀）

ドーリア人の南下でミケーネ時代の諸王国が滅び、混乱期を経て各地にポリスが成立するまでの時期。末期にはホメーロスの叙事詩や神話体系、アルファベットが成立する。

第3期　ポリス時代（前8世紀〜前4世紀）

本土のアテネやスパルタ、コリントなど多数のポリスが形成されたほか、前7世紀末から前6世紀にかけて黒海、地中海沿岸の各地に多数の植民ポリスが建設された。

このうち、3度の「ペルシア戦争」（前492〜前479年）を勝ち抜いて以降は「古典期ポリス」の時代と呼ばれ、歴史上最も輝いた時代となる。政治面ではアテネを筆頭に広く古代民主政治が行われ、文化面ではペリクレスによってパルテノン神殿が再建され、アテネを中心に本章でとりあげるアイスキュロスなどの悲劇詩人や喜劇詩人、ヘロドトスやトゥキュディデスなどの歴史家、ソクラテスやプラトン、末期にはアリストテレスなどの哲学者を輩出した。

第4期　ヘレニズム時代（前4世紀〜前146年）

アレクサンドロス大王の時代から、ギリシアがローマの属州になって独立を失うまでの時代。ギリシア文化がアジアの文化と融合して「ヘレニズム文化」が展開された時代でもある。

図3　ヘカタイオスの世界図

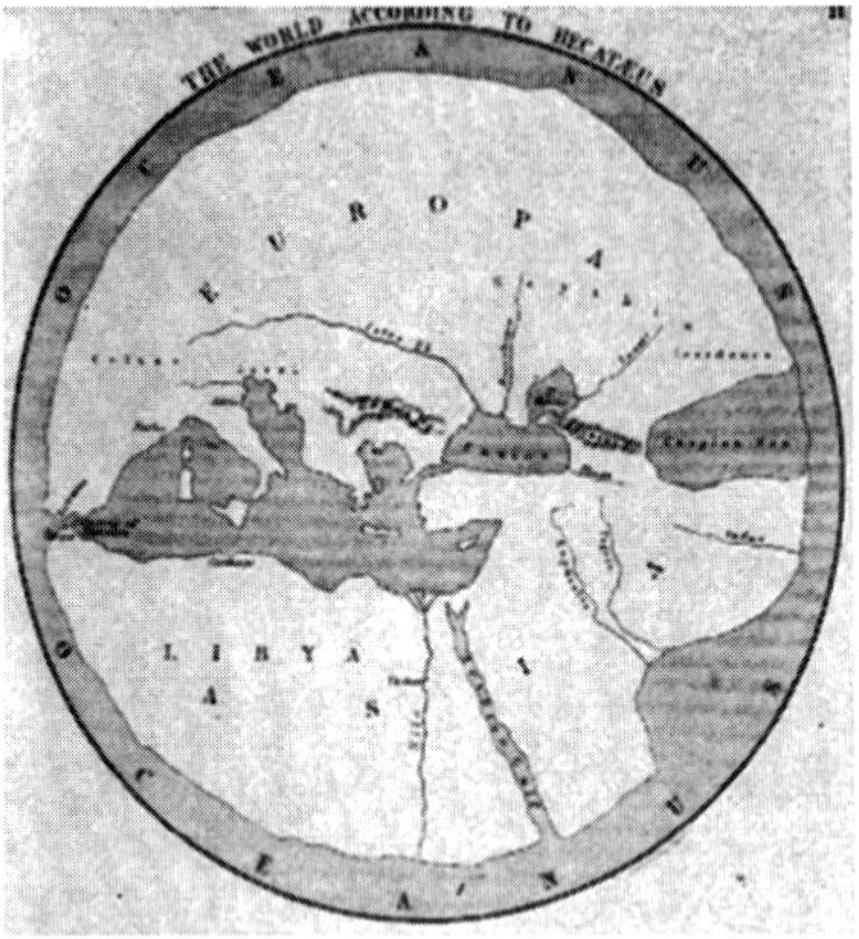

（織田武雄『古地図の世界』講談社　1981）

を展開していました。こうしたギリシア人の活動舞台の広がりを基礎にしながら、ギリシア人で最初の世界図を書いたと伝えられるのが、ミレトス人**ヘカタイオス**（前五五〇～前四七五）です。かれは、大陸としての**アジア**と**ヨーロッパ**を初めて区別しました。しかし、アジアの一部にリビアという地名が書き込んであります（**図3**）。かれはまだ、リビア（アフリカ）を独立した一つの大陸としては考えていなかったことがわかります。

こうした段階を経て古代ギリシア人が前五世紀に到達した世界認識を書き残してくれたのが、「歴史の祖」**ヘロドトス**（前四八四～前四二五、**図4**）です。かれは『歴史』第四巻で、当時のギリシア人の通念では、世界は周囲をオーケアノスによって取り囲まれ、アジア（ア

図4　ヘロドトスの世界

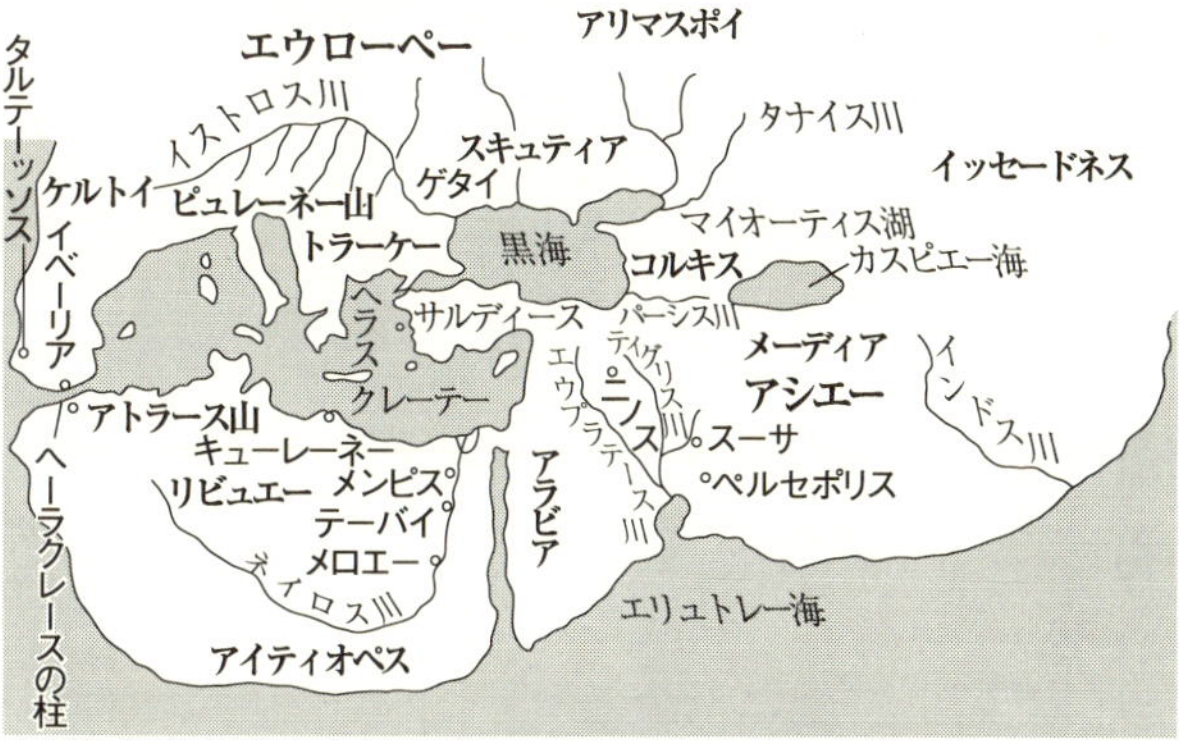

（太田秀通『ギリシアとオリエント』東京新聞出版局　1982より）
ヘロドトス自身は、本文にあるように一般のギリシア人の「世界」を紹介する一方、これを批判して、図のように大陸全体は円形ではなく、「ヨーロッパ」がアジアの北を東方にまで延びていることなどを主張している。

シエー）、ヨーロッパ（エウローペー）、リビア（リビュエー）の三大陸からなっているといいます。アジアとヨーロッパ、リビアを分かつのはそれぞれタナイス（ドン）川とネイロス（ナイル）川、地中海であり（この場合、ナイル右岸にあるエジプトは、「アジア」にはいります）、またアジアの東の果てにあるのはインドだが、「インドから東の地はすでに無人の境で、その情況を語り得るものは一人もない」（第四巻、第四〇節、松平千秋訳、岩波文庫）とも述べています。

ヨーロッパの「自由」とアジアの「隷属」

ギリシア人が使用し始めた「アジア」、「ヨーロッパ」の語源は、太田秀通氏によれば、**フェニキア語**のAçu《アシュー》（陽の昇る場所、東）、Ereb《エレブ》（陽の沈む場所、西）であろうとされ、さらにこのフェニキア語自体の語源となったのは、アッシリア語のaçû（始め）、ereb（闇）であるといわれます。[1] この場合注意したいのは、語源とされる言葉が朝の始まる方向と、そのときまだ暗い場所、つまりは東・西といった意味をもつだけで、どれも、優劣に関わる価値評価が含まれていないことです。ギリシア人がこれらの言葉を借用してヨーロッパ、アジアという単語を使用し始めたときも、それは同様だったと考えられます。

しかし**ヘロドトス**では、ヨーロッパとアジアは、特質を異にする対立的な二大世界となっています。第三回ペルシア戦争の際のペルシア王クセルクセスと、そのもとに亡命しているスパルタ人デマラトスとの会話が、その例です（『歴史』第七巻、第一〇一節以下）。

王は、ヨーロッパに渡ってまもなく陸・海軍の閲兵を行い、傍らのデマラトスに問いかけます。「ギリシア人どもが敢えてわしに刃向かい抵抗するであろうか」。ところがデマラトスは王の予想に反して「ギリシアに隷属を強いるごとき殿のご提案は、絶対に彼ら（スパルタ人）の受諾するところとはなりませぬ」と答えます。王はそこで反問します。

〈それらの者たち（スパルタ人）が一人の指揮者の采配の下にあるのではなく、ことごとくが一様に自由であるとするならば、どうしてこれほどの大軍に向って対抗し得ようか。〔中略〕彼らといえどもわが軍におけるごとく、一人の統率下にあれば、指揮官を恐れる心から実力以上の力も出そうし、鞭に脅かされて寡勢を顧みず大軍に向って突撃もしよう。しかしながら自由に放任しておけば、そのいずれもするはずがなかろう〉

これに対しデマラトスは「自由」の意味を説明しようとします。

〈彼らは自由であるとはいえ、いかなる点においても自由であると申すのではございません。彼らは法という主君を戴いておりまして、彼らがこれを怖れることは、殿の御家来が殿を怖れるどころではないのでございます〉

強大な軍勢に満足していた王が、説明の意味がのみこめないまま、機嫌も損ねることなくデマラトスを退出させたところでこの挿話は終わっています。

なぜ、ヘロドトスはこの会話を挿入したのでしょうか。それは、ペルシア戦争の意義を明示しておこうという意図からだったと考えられます。ここでは、両世界が対照的に描き出されています。ヨーロッパ（＝ギリシア）は、自由民が自ら定めた法に基づいて国家（ポリス）を運営している世界です。対するペルシア（＝アジア）は、神権的な君主とこれに奴隷的に隷属する臣民からなる世界で、こうした世界しか知らないクセルクセスには、「自由」について説明されても、「規律もなにもない放縦《ほうしょう》」くらいにしか理解できないのです。つまり、ヨーロッパは「**自由**」、アジアは「**隷属**」の世界として描かれています。そしてこの挿話で示されているのは、ペルシア戦争とは自由と隷属との戦いであり、そしてヨーロッパの自由が勝利をおさめたものとする、かれの『歴史』の基本的視点だったのです。

この考え方は、ヘロドトスのみの個人的見解ではありません。それはすでに、ペルシア戦争後間もない前四七二年上演の**アイスキュロス**の悲劇、『ペルシアの人々』(久保正彰訳、人文書院)に見られます。アイスキュロスは、一方で悲劇の合唱隊(=ペルシア人)に、クセルクセスの母アトッサに対して、「あなた様こそわれらの神の妃様、われらの神の母君様におわします」と唱わせます。他方決戦になったサラミス海戦に向かうギリシア人には、「おおヘラスの子らよ、進め！ 祖国に自由を！ 子や妻に自由を！ 古い神々の御社や父らの墓地に自由を！ すべてはこの一戦で決まるのだ！」と唱わせているのです。ヘロドトスは、ペルシア戦争以後のギリシアに一般的であった考え方の上に立って、『歴史』を書いたのです。そして当時形成されたこの対比的なとらえ方は以後ヨーロッパ人の考え方の一つの基調として残り、今日に至るまでたびたび現れることにもなります。

円環的時間

古代ギリシアの歴史家に関しては、「歴史の祖」ヘロドトスと並んで必ず登場するのが、「科学的歴史の祖」**トゥキュディデス**(前四六〇〜前四〇〇)です。かれの『歴史』(小西晴雄訳、筑摩書房）は、アテネとスパルタを頂点とし、ギリシア世界を二分して行われたペロポネソス戦争（前四三一〜前四〇四年）をえがいたものです。本書が、近代歴史学の立場から見てもきわめて厳密で深い事実の探求と、またそれらの事実の因果関係の優れた分析のうえで、しかもヘロドトスのように逸話や伝聞をまじえた物語風にではなく、主観を排して極力客観的に記述されているために、「科学的」と呼ばれています。

しかしかれの「科学性」を支えていたのは、近代歴史学とは異なった意識でした。〈この著作には興味本位の話が皆無であることは聴衆にはおそらくおもしろく聞こえないであろう。しかし過去の出来事や、これに似たことは変わらざる人間性によって再び将来にも起こるものだということを明確に知ろうとする人には、この本を有益と充分に認めることができるであろう。耳に一時を競うより、不断の財にと、この本を書いたのである〉（第一巻、第二二節）

別の場所でも、「人間の本性が同じであるかぎり、〔中略〕過去に起きたことはまた将来にいつも起こるものなのである」（第三巻、第八二節）といっています。

わたしたちはよく「歴史は繰り返す」といったりします。しかし、実際に全く同じ事件が繰り返して起こるとは、誰も信じてはいないのではないでしょうか。しかし引用にあるように、かれは文字通り歴史は繰り返すと信じており、トゥキュディデスが正確な記述のために最大限の努力を払ったのは、将来に同じ事件が起こったとき、かれの記述がそこで役に立つと信じていたからなのです。将来のある時に、さまざまな時を一巡して、現在と同一の時が現れる。時間は戻ってくるのです。時間のイメージは、「円」なのです。

円環的時間は、トゥキュディデスのみに特殊なものではありません。歴史的には円環的時間のほうが自然で、人類史の古層に属するものだと考えられています。人類は農業を始めて以来、栽培植物の生—死—生（生—終末—回帰）という循環を、一年の季節の繰り返しの中で経験してきました。ここではむしろ円環的時間のほうが自然でした。円環的時間がさまざまな民族において宗教や思想に反映している例は、二〇世紀のルーマニアの宗教学者エリアーデによって多数紹介されています[2]。古代ギリシアについても、いくつもの例をあげることができます。

例えば、ピュタゴラス派は師**ピュタゴラス**の言葉を大切に保存していましたが、そのなかに「私はまたいつかこの杖を持って再び御前たちの前で教えることだろう」という言葉があります[3]。ピュタゴラス派は、自然界の一年とは異なる、この事物の運動が一巡する期間を「**大年**（The Great Year）」と呼んでいました（この「大年」も、もとは古代バビロニア人の間にすでにあった考え方です）。また、四元素説を唱えた自然哲学者のエンペドクレスは、「愛」と「争」という二つの原理によって、歴史は四つの時期を繰り返すと考えていました（**図5**）。「大年」は、**プラトン**も引き継いでいます。かれは、『テアイテトス』で一巡する期間を三万六〇〇〇年と計算していますが、この数値は、「プラトン年（Platonic Year）」とか、「プラトン的転回（Platonic Revolution）」と呼ばれています。

もちろんギリシア人全員が、円環的時間のもとで歴史を考えていたというわけではありません。例えば前七〇〇年頃のギリシア詩人ヘシオドスは、『神統譜』で、歴史は黄金時代から銀の時代、銅の時代、英雄時代を経て、現在は鉄の時代だと述べています。かれのこの没落史観と結びついているのは、斜め下方にのびる矢印でイメージされる時間です。

しかし、確実なこととして、「円環的時間」のもとで事物の流れを考える大きな潮流があったといえるでしょう。トゥキュディデスの円環的時間は、人類史の古層から引き継がれ、古代ギリシア人にもひろく受け

図5　エンペドクレスの歴史循環論

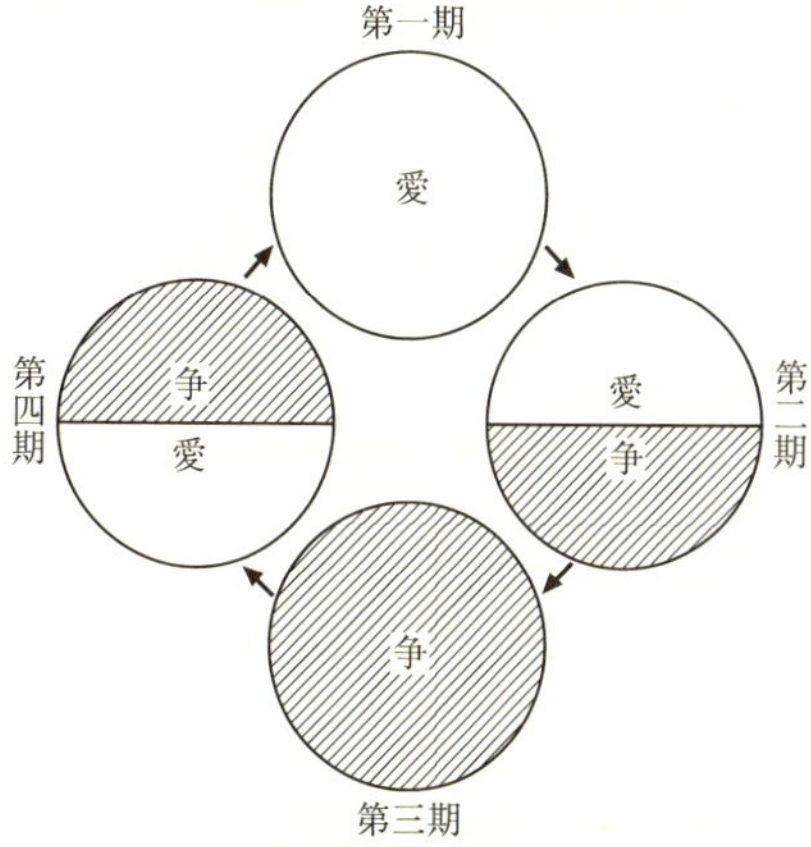

四元素＝四根（地水火風）が「愛」と「争」により和合と不和の間を循環する。これによって自然も社会も四つの時期を循環する。
（神山四郎『歴史入門』講談社現代新書　1965より）

入れられていた観念でもあったのです。

2――古代ローマ人の「世界」と時間

ヨーロッパ、アジアとアフリカ

ギリシア人がリビアと呼んだ大陸を「**アフリカ**」と呼んだのは、ローマ人です。かれらは「ヨーロッパ」と「アジア」はギリシア人から受け継ぎましたから、これで今日の旧大陸の名称が出そろったことになります。「アフリカ」の語源については諸説がありますが、いずれにしろ、**元来はカルタゴとその周辺を指す地名**だったという点では共通です。ポエニ戦争でカルタゴを滅ぼしたローマが、アフリカ北西部沿岸のカルタゴの故地を属州とし、「アフリカ州」と呼んだのはこうした事情からでした。

その後ローマは、オクタヴィアヌスのエジプト征服に至るまで、北アフリカの支配地を拡大していきます。それと共に「アフリカ」も拡大し、大陸全体を指す言葉となります。そのことは、古代末期に生きたキリスト教徒、**アウグスティヌス**で確かめることができます。かれは、『神の国』(服部英次郎訳、岩波文庫)で、世界について「アジア、ヨーロッパ、

古代ローマ史の概要

古代ローマの歴史もギリシア同様、前2000年頃、印欧語族のラテン人がイタリア半島に南下したところから始まる。ローマは伝説では前753年、ロムルスによって建国される。

第１期　王政時代（前753〜前509年）

第２期　共和政時代（前509〜前27年）

この時代はさらに３段階に分けることができる。

1　前509〜前287年。貴族の政権独占下で出発したローマは、貴族と平民の間の激しい身分闘争を経て共和政治の組織が完成。同時にローマはイタリア半島の統一を完了する。

2　前287〜前146年。カルタゴとの３度にわたるポエニ戦争を遂行して勝利。その戦争の合間に東方にも進出し、前146年には地中海世界の覇者となる。その「地中海世界」成立を機に、最初の「世界史」がポリュビオスによって記述される。

3　前146〜前27年。覇権確立の反動でローマの社会の伝統的秩序が崩れ、次第に強大な軍隊を握る個人に権力が集中。カエサルが勝ち残った第１回三頭政治を経て、オクタヴィアヌスが第２回三頭政治を勝ち残り、帝政を開いていく。

第３期　帝政時代（前27〜後476年）

この時代も３段階に分けることができる。

1　前27〜後180年。オクタヴィアヌス（アウグストゥス）による帝政と「ローマの平和」の樹立から、「五賢帝」の時代まで。ローマの政治・文化の極盛期。この時代にキリスト教が発生。

2　180〜284年。ローマ社会の秩序が大きく崩れ始めた時代。

3　284〜476年。専制君主政の樹立で帝国の崩壊を食い止めたディオクレティアヌス帝から、ゲルマン民族の大移動のなかでローマが分裂し、西ローマ帝国滅亡に至る時代。キリスト教はコンスタンティヌス帝により公認（313年）、テオドシウス帝により国教化（392年）。この時代はキリスト教の発展の時代でもあった。

アフリカがその全てなのである」（第一六巻、第一七章）と述べているのです。

アジア人蔑視と化け物世界誌——古代的な三重構造の世界

ヘロドトスは、価値観を込めてヨーロッパとアジアを区別しましたが、アジア人を軽蔑していたわけではありません。『歴史』の冒頭で、「ギリシア人と異邦人《バルバロイ》の果たした偉大な驚嘆すべき事跡」が忘れ去られることを怖れて『歴史』を記したと書いています。バルバロイもギリシア人と同格に扱われ、「偉大な驚嘆すべき事跡」を残した歴史的主体としています。また第二巻でエジプト史を記述しますが、ここでは、当時ペルシアに隷属していたエジプト人とその文化に深い敬意を払い、さらにすすんで、ギリシア人の宗教や神々は実はエジプト人から受け継いだものと説明しています。こうした態度は、プルタルコスによって「夷狄《いてき》文化に同情し過ぎ」だと批判されているほどです。(4)

しかし他方で、「自由」と「隷属」がヨーロッパとアジアの特質とされていたなかでは、しかも広範に奴隷制が展開し、その奴隷がアジアから供給されていたという当時のアテネの現実のなかでは、アジア人への蔑視が生まれてくるのも時間の問題であったともいえます。すでにヘロドトスの同時代人であった前五世紀のアテネの悲劇詩人**エウリピデス**は、『アウリスのイーピゲネイア』（呉茂一訳、人文書院）のなかで、主人公イーピゲネイアに、

「ヘラスが夷狄(バルバロイ)を支配することがあっても、夷狄がヘラスを支配することはなりませぬ。〔中略〕あちらは奴隷、こちらは自由の民なのです」と語らせています。

さらにアジア人蔑視を明瞭に示してくれるのは、**アリストテレス**です。かれはマケドニアのフィリッポス二世に招かれ、アレクサンドロスが一三歳から一五歳になるまで、家庭教師となって教えています。そのかれが、アレクサンドロスがペルシア遠征に旅立つに当たって与えた手紙で、「ギリシア人に対しては友に対するように、アジアの異民族に対しては動植物を扱うように」と勧告したと伝えられているのです。(5) ギリシアでは奴隷は「アンドラポダ」とも呼ばれていました。これは「四本足」と対になっている言葉で、「人の足」という意味です。奴隷は「四本足」の羊や牛と同様、「人の足」をもった家畜なのです。そしてアリストテレスも、後に紹介しますが、アジアのバルバロイは人間ではあっても、先天的に劣った人間であると考えていました。

しかし、さらに、古代ギリシア人たちは、世界の周辺に様々な怪物たちがいると考えていました。とりわけ世界の東端にあったのが、「**驚異の国インド**」でした。インドに「驚異の国」のレッテルをはったのは、前四世紀初めにペルシア宮廷に侍医として仕えたのち『インド誌』を著した、クニドスのクテシアスでした。かれは、インドには一本足のスキアポデス（影足人）、キュノケパロイ（犬頭人）その他様々な異形の人間、さらに人間の顔とライオンの身体をもつマンティコラ、ユニコーン（一角獣）、一本の角を前に他の一本を後ろに向けて戦い、水陸で自由に活動するエアレ（イェイエル）などの不思議な動物たちが住んでいると記述したのです。その後、インド王の宮廷へ大使として派遣されて『インド誌』を著したメガステネス（前四～前三世紀）も、怪物の数を増やしました（これらの怪物たちは、後に七一頁以降で扱う「ヘレフォード図」―**図8**、第2章扉参照―に網羅されています）。

こうしたギリシア人の記述は、ローマ人にそのまま受け入れられていきます。紀元一世紀のローマ人大プリニウスは、これらの怪物たちを全く無批判に受け入れて記述し、「怪物の百科全書」[6]とまでいわれる『博物誌』をあらわしているのです。

もともとギリシア人たちは、かれらの神話のなかに山羊と人間を合成した姿のサテュロスや、馬身で腰から上が人間の姿のケンタウロス、牛頭人身のミノタウロスなど、一〇〇を超える怪物を登場させています。「怪物」が想像される原因については、もともと、人間を取り巻く環境に潜む何らかの非人間的なものへの恐怖を形象化し、それを辺境へ押しやって安心を得ようという性質、つまり「恐怖を合理化しよう」[6]とする性質が人間にあるからだといわれます。そしてギリシア人が特に多くの怪物を生みだしたことについては、そうした傾向が、ギリシア人にはとりわけ強かったからといえるのかもしれません。

しかしここで、一つの興味ある議論を紹介したいと思います。古来「健全な精神は健全な身体に宿る」といわれてきました。この肉体の美醜と魂の美醜の結びつきを、「仕事」を仲立ちにして「合理的」に説明しようと試みた哲学者がいます。**プラトン**です。かれは『国家』で哲人政治を理想として掲げますが、この「哲学者」となる資質のある人に関する議論のなかで、手工業者には哲学者になる資質はないといっています。

〈彼らは、もともと生まれつきの素質が不完全であるうえ、ちょうどその身体が職業的技術によって痛めつけられているのと同じように、その魂もまた、下賤な仕事のためにすっかりいじけて、片輪になっている〉(第六巻、第四九五節、藤澤令夫訳、岩波文庫)

これがその理由です。この考えから、晩年の『法律』では、かれは市民に商業、手工業に携わることを禁じ、これらは外国人と奴隷の仕事だとしています(第一一巻、第四節)。このように、プラトンの国家論は奴隷制度を前提にしていました。

この議論を最も賤しい仕事を行う奴隷に適用すればどうなるでしょうか。当然、かれらには最も不完全な精神的能力と最もいびつな肉体が対応することになります。しかも奴隷は大部分がアジア人から供給されていました。ギリシア人がアジアに様々な身体的欠陥者を想定し、その最極端の地に人身と様々な動物の部分を組み合わせた怪物を生みだすということが、ここからも生じたのではないでしょうか。アジア人蔑視から進んでアジアに数多くの怪物を想像し、さらに「化け物世界誌」を現実のものと信ずるというギリシア人の思考回路には、奴隷制度も関与したのではないかとわたしは考えています。
次に、古代ローマの時代になると、「怪物」たちの存在は、自然の秩序の一部と信じられるようになっています。さきにもあげた**大プリニウス**は、『博物誌』で怪物たちのカタログを示したのち、次のようにいっています。
〈これらの、そしてまたこれに類似の人類のさまざまは、自然がその妙工により、自分自身の慰みに、またわれわれをびっくりさせるためにつくったものだ。自然が毎日、否毎時毎時に行っている多種多様の業を誰が詳細に語り得ようか。自然の力が発現して、人類の全民族を自然の驚異の中に包んだのだということで満足しよう〉[7]
最後に、ローマ時代のキリスト教徒もまた、同じ古代人として、この「化け物世界誌」を受け入れていました。**アウグスティヌス**は、やはり同じ『神の国』の中で怪物たちについて論じ、次のように主張しています。
〈もしもそれらの種族が、理性的で死すべき動物という（人間についての）定義によって包含されるのなら、それらはすべての者の最初の父祖であるあの同一の人間に起源を得ているのだと認めなければならない。〔中略〕人間であるとすれば、かれらはアダムから出たのである〉（第一六巻、第八章）
こうして、ローマ時代になると、世界はオーケアノスという大海に囲まれた三つの大陸からなり、ヨーロッパ（ローマ世界）は自由な市民＝真の人間の住む地域、アジア（アフリカも）は一段と劣った人間たちの住む、そして「隷属」を特徴とする地域、さらにその外に怪物たちの住む地域という三重の構造をもつと信じられるようになり、さらにこうした構造は、「自然」が生み出したもの、自然的秩序であると考えられていたということになります（**古代的な三重構造の世界**）。そして古代のキリスト教徒たちも、地理的世界像に関しては、異教徒であるローマ人たちと同一の「世界」を信じていたのです。

円環的時間

ローマ時代における「円環的時間」についても簡単に見ておきましょう。イタリア半島南部には前八世紀以来ギリシア人の植民地が建設され、「マグナ・グラエキア」と呼ばれていました。ローマ人は、軍事力は強くとも、文化的には後進でした。このマグナ・グラエキアのギリシア人たちからギリシア文化の多くのものを学びとりましたが、ラテン文字（ローマ字）はかれらがギリシアのアルファベットを取り入れる過程で成立したものです。また、ローマ人が地中海世界に進出した前三世紀は、ヘレニズム文化の最盛期でもありました。ヘレニズム文化期に起こった哲学が、ストア派とエピクロス派でした。両派はともにローマ人に受け入れられていきますが、支配者たちに支持者を得たのがストア派でした。

それでは、ストア派は「時間」をどのようにとらえていたでしょうか。前三世紀のストア派の哲学者、**クリュシッポス**を見てみましょう。

〈ソクラテスやプラトンが再び生存するであろうし、あらゆる人は友人や仲間の市民とともに再び生存するであろう。その人は同じことを経験し、同じことをするであろう。あらゆる都市、あらゆる村や畑が再び現れるであろう。そしてこの回復は一度だけ起こるのではなく、同じことが際限なく回復するであろう[3]〉

ローマ時代の有名なストア派哲学者としてはエピクテトス（一〜二世紀）がいますが、かれもまた円環的時間を受け入れていました。そしてかれの影響を受けたのが、五賢帝の掉《とう》尾《び》を飾った**マルクス＝アウレリウス帝**（在位一六一〜一八〇）でした。後期ストア派の代表者で「哲人皇帝」でもあったかれは、『自省録』でつぎのように書いています。

〈昔起こった出来事をよくながめ、現在行われつつある全ての変化を眺めれば、未来のことも予見することができる。なぜならそれは必ず同様なものであろう〉（第七巻、第一九節、神谷美恵子訳、岩波文庫）

もちろん、全てのローマ人が円環的時間で歴史をとらえていたわけではありません。しかし、エリアーデは「永遠回帰と世界の終末のモチーフは全ギリシア・ローマ文明を支配するに至っている[2]」とし、二〇世紀イギリスの歴史学者バターフィールドも、「ギリシア人は、〔中略〕ごく細部に至るまで永久に歴史は繰り返し続ける、という宇宙観、世界観まで も創り上げた(8)」と述べています。少なくとも、大きな影響を与えた学派や諸個人に円環的時間が多々認められるだけでなく、トゥキュディデス、これから述べるポリュビオスのような卓越した歴史家にも見られるようなことは、他の時代にはない、古代的特徴ということができます。

それではこのような時間の下で、世界史はどのように見えてくるのでしょうか。次節ではそれを見ていくことにしましょう。

第2節　古代的歴史学・世界史像の特質

世界史の父ポリュビオス

ここまで述べてきたさまざまの要素を統合し、**最初の世界史記述者**となったのが、**ポリュビオス**（前二〇一～前一二〇）です。かれはギリシアのメガロポリス出身で、「アカイア同盟」の指導者の一人でした。前一六八年、ローマがマケドニアと戦ったとき、「アカイア同盟」に結集したギリシア人も、マケドニア側について戦いました。結果はローマの大勝に終わりますが、ローマはこのとき、ギリシア人一〇〇〇名を人質としてローマに連行しました。その人質の一人として、ポリュビオスもローマに連行されてきたのでした。

ローマ人はしかし、人質たちを奴隷にしたわけではありません。ローマ人は、当時第一級の知識人でもあった人質たちを、丁重に迎えました。ポリュビオスもストア派哲学などに通じた、「**ヘレニズム文化**」を代表する知識人でした。かれはスキピオ家に迎えられ、小スキピオ、後のスキピオ・アフリカヌスの養育を任されています。小スキピオはやがて第三回ポエニ戦争でカルタゴを滅ぼしますが、このとき、ポリュビオスを同伴していきました。こうした縁から、ポリュビオスは、カルタゴ滅亡の目撃者となっています。

カルタゴが消滅した紀元前一四六年、全く同じ運命にあったポリスがあります。コリントです。当時カルタゴは西地中海、コリントは東地中海の商業の中心でした。両者の抹殺によって、このとき、**地中海世界の覇者ローマ**が誕生したといえます。この歴史的転換点に現場で立ち会ったのがポリュビオスでした。そしてギリシア人のかれは、なぜローマのみが地中海の覇者となったかをテーマに、『歴史』四〇巻を書いたのでした。

この著作は第二回ポエニ戦争（ハンニバル戦争）等が行われていた第一四〇オリンピック期（前二二〇～前二一六年）から、前一六八年までのローマの発展を記述したものです。なぜこの前二二〇年頃から書き始めるかについて、かれは次のようにいいます。
〈これ以前においては、世界の諸事件はいわば無関係に生起していた。というのは、それらはある指導者によるものであれ、結果的にであれ、またある地域によってであれ、どのような統率者によっても結びつけられるということはなかったのである。〔しかしこれ以後は〕イタリアとリビアの事件がギリシアやアジアの事件と絡み合い、あらゆる事件が一つの結果に結びつくようになったのである〉（第一巻、第一節、筆者訳）

旧約聖書の「歴史書」の部分は、もっぱらヘブライ人（ユダヤ人）の歴史です。あるいはトゥキュディデスの『歴史』は、ペロポネソス戦争というギリシア人の歴史を書き記しています。このように、それまで書かれた多くの歴史書は、民族単位の視点で歴史が記述されてきました。ヘロドトスの場合、ギリシア人と戦ったペルシア人について調べる過程でその征服事業をたどっていき、そのペルシア人の征服地がエジプトからインドまで及んでいたために、意識的にというよりは結果的に、三大陸にまたがる「世界」を記述することになりました。こうした事情から、太田秀通氏は、「ヘーロドトスは世界史家としてははじめて『歴史の父』となることができた[1]」と述べています。わたしも、ヘロドトスについては「世界史家」とはいえても、「世界史の父」とまではいえないと考えています。

これに対し、まず、ポリュビオスの背後にはヘレニズム文化があり、そこでは民族からではなく、諸民族を包含する「世界」の側から人間をとらえる視点が生まれてきていました（「世界市民主義」）。さらに決定的なのは、かれの目前で、地中海がローマ人にとって「われらの海」となったことです。井上幸治氏もいうように、この結果成立した「ローマ世界という意識」こそ、「ポリュビオスがはじめて世界史（historia katholike）という言葉を使用する前提となった(9)」のです。かれの歴史は、まさにローマ的世界として一つの関連ある全体となった「世界」の歴史です。またかれは『歴史』冒頭で、「私の時代のいかなる歴史家も、世界史には手を染めなかった」といっています。わたしがポリュビオスを「世界史の父」と呼ぶのは、かれがこのように初めて自覚的に「世界史」を記述したからです。さらに、そこで「**古代的な世界史の理論**」を構築しているからです。ヨーロッパの世界史記述の歴史は、こうして、**ローマ的世界史**として出発することになりました。

政体循環論

ポリュビオスの「古代的な世界史の理論」は「政体循環論」の一語で表すことができますが、それは、変わらざる人間性、円環的時間の観念とアリストテレスの『政治学』とをかれなりに統合し、形成した歴史の理論ということができます（**図6**）。

アリストテレスは、『政治学』（山本光雄訳『アリストテレス全集』第一五巻、岩波書店）で、二つの基準をもとに政体を分類しています。ひとつは権力を握る人が一人であるか、少数者であるか、多数の者であるかの違い、もうひとつは、その政治が公益に即して公正に行われる「正しい国制」であるか、これから逸脱した国制であるかの違いです。

一人支配では君主政とその堕落形態である僭主《せんしゅ》政、少数者支配では貴族政とその逸脱形態である寡頭政、多数の者の支配に関しては、スパルタを典型とする、混合的・中間的国制を有する政体とその堕落形態である「民主政」、以上の六種類です（第三巻、第七章）。かれの分類では、「民主政」は逸脱した政体とされています。アリストテレスが考えた国家の理想は、これらのうち混合的・中間的国制（第四巻、第一一章）を備え、国民相互が「知り合っている」（第七巻、第四章）程度の人口、「一目で見渡せる広さ」（第七巻、第五章）を持ち、農民を基本構成員とするポリスでした。奴隷制度を基礎としている点を含めて、プラトンとほぼ同じ結論だといえます。

図6　ポリュビオスの政体循環論

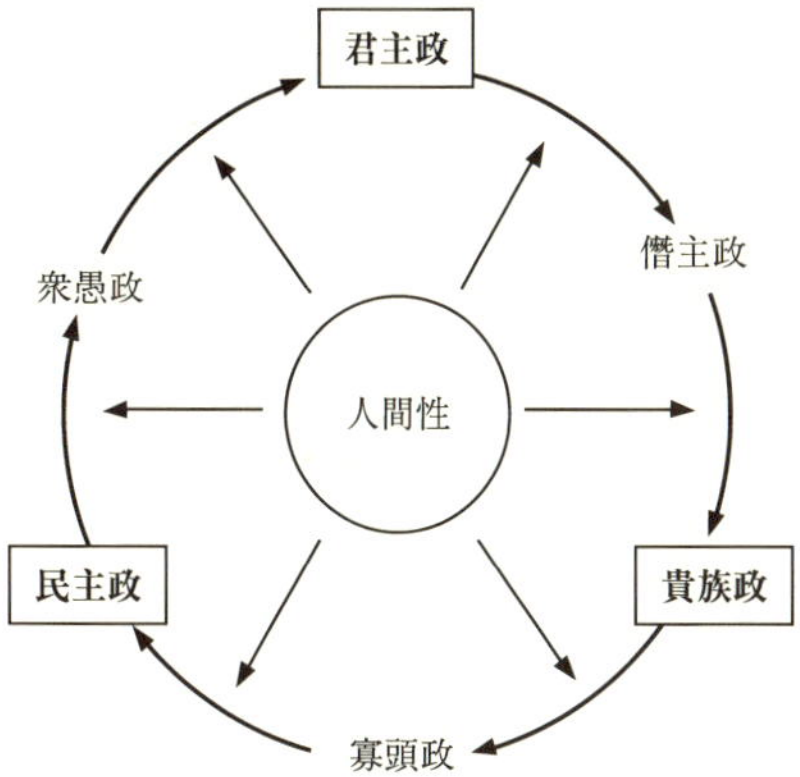

このアリストテレスの分類を、ポリュビオスは君主政と僭主政、貴族政と寡頭政、民主政と衆愚政の六種に区分しなおし、そのうえで、「変わらざる人間性」と「円環的時間」を持ち込みました。つまり、これらの政体の間を、変わらざる人間性によって、歴史が循環すると考えたのです。「変わらざる人間性」は、歴史を動かす原動力です。権力者の二代目、三代目ともなると、生まれながらの支配者として傲慢になり、公益を顧みなくなって自己の利益のみに走るのは「人間性」のしからしむるところです。これに対し、自由が損ねられたことへの怒り、あるいは名誉心、場合によっては妬《ねた》みから、権力者に反抗を企てるようになるのも「人間性」、そして反抗を通じて新たに権力を握った人が、権力把握の過程を記憶している間は、節度を守って公共の利益を尊重した政治を行っていくということも、また「人間性」によります。おのおのの場面で人々を動かす「人間性」の要素は変わりますが、それらはいずれも「変わらざる人間性」を構成している一側面ですから、結局この「変わらざる人間性」によって、歴史は循環を遂げていくのです。

この循環を、かれは「自然的変換」(第六巻、第五章)とも呼びます。つまり、それは歴史における法則、真理なのです。

〈これが政体循環のサイクルである。それは、各政体が変化・消滅し、そして最後にまた出発点に立ち返る、自然によって定められた行程なのである〉(第六巻、第九章)

わたしがこの政体循環論を「古代的な世界史の理論」であるという理由は、第一には、変わらざる人間性、円環的時間という**古代的観念を基礎**にしているからです。さらに第二に、それが実際に**ギリシア人とローマ人の歴史を説明**する理論となっているからです。

まず古代ギリシア人の歴史を見ましょう。ギリシア人は、ギリシア史の出発点にシキュオン、アルゴス等の王国をおいていました。アテネも、遅れて王国から始まっています。その後ポリス時代にはいりますが、そこではスパルタを除いて王は存在せず、貴族政が行われました。貴族政は、アテネの場合は僭主政を経て前五世紀初めに民主政に移行し、その民主政が堕落して、アテネでソクラテスが処刑されることになった時代、衆愚政の時代に移ります。その後ギリシアはマケドニア王アレクサンドロスの支配下に入り、さらにヘレニズム時代にはアンティゴノス朝のマケドニア、ポリス地域、セレウコス朝のシリア王国、プトレマイオス朝のエジプトに分かれます。つまり、古代ギリシアの世界は、ちょうど一巡して君主政に戻ったのでした。

それではローマはどうでしょうか。実は、ローマ史の説明にはもう一つ「仕掛け」が必要でした。それには、ギリシア人ではなくローマ人だけがなぜ地中海の支配者になったのかという問題もかかわってきます。そこでかれが持ち出した「仕掛け」とは、これもアリストテレスから学んで練り上げられた、「**混合政体論**」です。

ローマも、ロムルス以後は王政でした。最後の王タルキニウスはスペルブス（傲慢王）というあだ名が付いていますが、権力を笠に着てある貞淑な婦人を凌辱したために追放され、ローマは貴族が権力を握って共和政に移ります。ここまでは「循環」の流れの上にありますが、以後は異なってきます。共和政の最初は、貴族が権力機構を独占しました。貴族が元老院を構成し、執行機関として任期一年、二人からなる執政官（緊急事態の場合は任期半年の独裁官）を握っていたからです。しかしその後の平民の闘争（身分闘争）によって平民会も元老院と同様、立法機関の地位を獲得します。執政官の一人も平民から選ぶようになります。つまり完成期のローマ共和政では、君主政（執政官）、貴族政（元老院）、民主政（平民会）という、三つの理想的政体が一つに「混合」されているのです。

ポリュビオスが「混合政体」と呼んだのはまさにこの政体を指しています。しかもこのローマ共和政の特徴こそ、ひとりローマのみが**発展**して地中海を統合した理由であると、かれは説明します。ギリシア人は個々の政体を巡って、結局君主政に戻りました。そしていくつかのギリシア人が支配する王国に分裂し、世界を統合することはできませんでした。これに対しローマ共和政は、三要素を「混合」することによってこの「循環」を政体の内部に取り込みました。このことによってローマは循環の輪から免れ、ひとり発展を遂げて地中海世界を統合することができたというわけです。こうして政体循環論は、ギリシア人の歴史を説明するだけでなく、「混合政体論」を通じて、ローマの「発展」とローマのみが地中海世界の統合に成功し得た理由の説明をも与える理論となっているのです。

わたしがかれの理論を「古代的な世界史の理論」と呼ぶ最後の理由は、それがギリシア人やローマ人における地理的な意味での**「世界」の歴史を説明**しているからです。前二世紀には、パルティアの興隆によってシリア王国がアジアの領土の多くを失ってはいましたが、当時ヨーロッパ人が信じていた「世界」を支配していたのは、ギリシア人とローマ人だったといえます。この二大民族が柱となっている「世界」の歴史が理論的に説明されていることは、当時においては、まさに世界史の理論としての意義を有していたのです。

同時代的政治史

それでは、古代の歴史記述はどのような特徴を持っているでしょうか。以下三点をあげることができますが、その第一は、「同時代的政治史」という特徴です。

今日では、「現在」は歴史学の対象とはなりません。しかし、古代の歴史家の主流が取り組んだのは、近い過去、というより、むしろ歴史家自身が生きたとほとんど同時代の、しかも、「政治史」の記述でした。ヘロドトスの場合は最初の歴史記述者ですから、遠い過去からかれの生きた時代まで、長大な時間を含んでいます。しかしトゥキュディデスの

『歴史』は、ヘロドトスが記述し終えた後の時代、ペロポネソス戦争を対象にしています。この戦争には、かれ自身もアテネの将軍に選ばれて関与しています。そしてかれ以後に現れた歴史家たちは、それぞれ自分より前の歴史家が筆を擱《お》いた時点から書き継ぐという形で歴史を記述しました。ですから、古代ギリシアやローマ時代には、遠い過去ではなく、近い過去、さらには歴史家自身が生きた同時代の政治を記述することが、歴史家の仕事の主流だったということになります。

ここではまず、なぜ「政治史」なのかを考えてみます。その理由をあらかじめいえば、それは、歴史の記述者が「市民」であり、読者も「市民」であったという、古代特有の事情からだということです。このことからまた、歴史には、誰が、誰のために書くのかということからその内容も定まってくるという側面があるということにもなります。

さて、**アリストテレス**は、『政治学』で、人間を次のように規定します。

〈人間は自然に国的動物であり、また偶然によってではなく、自然によって国をなさぬものは、劣悪な人間であるか、あるいは人間より優れた者であるかのいずれかである〉（第一巻、第二章）

ここで「国」と訳されている原語は、「ポリス」です。また「自然に」という言葉は、「本性上」といった意味で使用されています。つまり本性上ポリスを作る動物が人間であるということになります。しかし、国（ポリス）を作らない者があり、それは「劣悪な人間」か「人間より優れた者」のいずれかだといっています。二者のうち後者が神々を指すということは、容易に想像できます。ゼウスを中心とするオリュンポスの十二神は一つの大家族をなしており、ポリスを作ってはいなかったからです。しかし「劣悪な人間」とは何でしょうか。かれはホメーロスの「部族も法もなく、炉もなき者」を引用し、ホメーロスによってこの言葉で非難されたような人間がこれにあたると説明しています。

この「劣悪な人間」には、国を作っていないアジア人だけでなく、怪物的人間も入っていたかもしれません。アリストテレスは、『動物誌』でインドのマンティコラについて言及しており（五〇一a）、クテシアス『インド誌』の記述を知っていたのは確かですから。他方、王国を作っているアジア人に関しては、「アジア人はヨーロッパ人に比べその性格が本性上一層奴隷的であるために、主人的支配を少しも不満に思わないで堪え忍んでいる」（『政治学』第三巻、第一四章）といいます。つまり、ポリスを作る真の人間＝ヨーロッパ（ギリシア）人と比較して、国を作っているアジア人も、「劣悪な人間」とはいわないまでも、先天的に一段劣った人間だということになります。ここから、さきにも見た、アジア人に対しては「動植物に対するように」という言葉が出てきたのです。かれのアジア人に関する「先天的奴隷論」は後世まで様々に尾を引いていきますが、その実例は後に見ることなります。

さらに、アリストテレスは奴隷と奴隷所有者を対比して、次のようにいいます。〈心の働きによって予見することのできる者は生来の支配者、生来の主人であるが、肉体の労働によって他の人が予見したことを為すことのできる者は被支配者であり、生来の奴隷である（中略）。だからして主人と奴隷とには同一のことがためになるのである〉（第一巻、第二章）

奴隷の服従はその本性にかなっており、奴隷にとって「ためになる」というわけです。そして、かれは、ポリスの基本単位は「毎日の必要のため」にある「家」であり、「完全な家は奴隷と自由人とからできている」（第一巻、第二章）といいます。ポリスはこのような「家」を前提にしています。ポリスは、このような「家」の支配者である自由人によって、「善き生活」実現のために形成された市民の共同体だからです。ただし、ポリスは、自由人が自由人を支配するという、「家」とは別の次元の支配に関わる「共同体」であり、自由人が「市民」として行う活動は、経済活動ではなく、政治活動です。マックス・ウェーバーのいうように、中世都市の市民が「経済人（Homo oeconomicus）」だったとすれば、古代の「市民」は、まさに「政治人（Homo politicus）」だったのです。[10] そこでアリストテレスは、生産労働は奴隷にゆだねて閑暇《スコレー》を有する市民の基本任務は「支配の術」を学ぶことであるとして、政治学の重要性を主張しています。したがって同様に、**市民が市民である読者のために書く歴史**、それもまた、政治史でなければならなかったのです。

実用的歴史

古代の歴史記述の特徴の第二は、それが「実用性」を目的としたことにあります。**トゥキュディデス**の時間についての考え方を示した言葉（二二頁）では、将来におけるかれの『歴史』の「有益」性も主張されていました。かれが実用性を強調した背後には、ヘロドトスに対する批判があると思われます。かれはそこで、自分の『歴史』が「聴衆にはおそらくおもしろく聞こえないであろう」と断っています（ついでにいえば、当時、書物は聴衆の前で朗読されるものでした。黙読も古代に始まってはいましたが、シャルティエらは、音読が「古代全体を通じて最も普及していた」[11]読み方だったと述べています。ヨーロッパでは、一七世紀頃まで音読の習慣が根強く残っていました）。かれのヘロドトス批判の根底には循環論的歴史観があり、ヘロドトスの物語風の歴史では、「おもしろく」は聞こえても事実と空想とが混交してしまい、それでは将来における有益性が損なわれると、かれは考えたに違いありません。こうしたトゥキュディデスのヘロドトス批判は、その後のギリシア、ローマの歴史家にも受け入れられ、古代を通じてヘロドトスは高く評価されることはなかったといわれます。例えばへロドトスを「歴史の祖」と呼んだのはキケロですが、キケロはそう呼んだ次の文章で「歴史の祖へロドトスにおいても〔中略〕『無数の作り話（fabulae）』がある」（『法律論』一の五、澤田昭夫訳）と批判しているのです。

レイスナーによると、**アリストテレス**もまた、歴史を「実用性」の面から見ていたといわれます。[12]もっとも、アリストテレスが歴史学をどのように位置づけていたかは、よくわかっていません。歴史学に関して立ち入った議論を行った作品もあったらしいのですが、現在に伝えられていないからです。ただかれには、歴史を広い意味での文学の一種と見る考え方がみられます。かれは、『詩学』で、詩と歴史を比較しています。

〈〔歴史家と詩人の差異は〕歴史家はすでに生起した事実を語るのに対し、詩人は生起する可能性のある事象を語る、という点にある。このゆえに、歴史に較べると詩の方が、より一層哲学的つまり学問的でもあるし、また、品格もより一層高い次第である。〔中略〕詩が語るのは寧ろ普遍的な事柄であるのに対し、歴史が語るのは個別的な事件だからである〉（今道友信訳「詩学」第九章、『アリストテレス全集』第一七巻、岩波書店所収）

このようにかれは、歴史には「詩」に一歩劣った地位しか与えていません。かれ以後、歴史学は文学の一種、しかも詩より一段低い地位の学問と考えられる時代が長く続きます。たとえば、アリストテレスの学問体系が大きな役割を果たしていたヨーロッパ中世の大学では、歴史学は独立した学問としては位置づけられていませんでした。大学で一つの学問と認められるには、一八世紀を待たなければならなかったのです。

ローマ人は、ギリシア人と違って「実用性」を重んじました。そのなかで、歴史の「実用性（pragmata）」を強調し、「実用的歴史（hisitoria pragmatike）」という言葉を発明した歴史家が出てきます。**ポリュビオス**です。本来この「プラグマタ」は「国家的事件」とも訳せる単語で、政治上の顕著な人間の行動や事件を指していたそうです。[13] しかし、「国家的事件」と「実用性」とが、なぜ結びつくのでしょうか。

まず、ポリュビオスが記述したのは、まさにローマ史における一連の「国家的事件」でした。そしてかれはその観察から、歴史上の真理を見いだしたと信じました。政体循環論と、その観点からする歴史分析の方法です。この方法についてかれはいいます。

〈この方法は、〔中略〕ローマ人の国制の生成・発展・完成に関する認識のみでなく、またいつの日か確実に訪れる悪しき形態への転化についても認識を与えてくれるものである〉（『歴史』第六巻、第九章）

真理である以上、それは真理からの逸脱を認識させるという、有益な役割を果たします。真理である以上、それは実用的なのです。元来「国家的事件」あるいは顕著な人間の政治活動を指した言葉が「実用性」の意味に転化したのは、このような脈絡からでした。

「政治的人間」のために記述した古代の歴史は、そこに示された真理を通じ、市民の政治生活に教訓を与え、同時に未来をも導く、実用的歴史でなければならなかったのです。逆にまた、市民の実用に供するためにも、歴史は政治史でなければならなかったのです。

限界のある「科学性」

古代の歴史記述の第三の特徴は、一定の科学性は持つけれども、しかしそこには、古代特有の限界も見られるということです。トゥキュディデスの『歴史』は、後に見るランケもその「科学性」を高く評価していました。ここでいう「科学性」という言葉はとりあえず「事実自体および事実間の因果関係の厳密な追究」という意味で使っていますが、かれのそのための意識的な努力と成果が、近代歴史学からも高く評価されているわけです。

しかし、この「科学性」には、二つの側面で限界がありました。一つは、「同時代」についてでは「科学的」であっても、過去にまで「科学性」が及んでいないという意味での限界です。

トゥキュディデスの記述でも、古い時代になると伝説や神話が入り込んできます。さきに古代の歴史の特徴を「同時代的政治史」だとしましたが、なぜ「同時代」なのかという問題もこれに絡んできます。結論からいえば、**方法的限界**からといえるでしょう。厳格な事実追究を行おうとすれば根拠として文書に頼ることになりますが、そうした文書が充分に入手できるのは同時代のものしかありませんでした。かれらはこのような文書について、その内容の真偽を自らの体験に照らして判断し記述しました。他方、過去については、伝説・神話に頼るほかありませんでしたが、伝説や神話から「事実」を読みとることまでは、当時はまだ無理な注文だったといえましょう。こうして「科学的」な同時代の記述と神話・伝説が同居するという、古代に特有の歴史記述が行われたと考えられます。

第二の限界は、**「歴史を見る眼」の限界**です。一例を挙げましょう。ヘロドトスは、『歴史』第七巻で、ペルシア軍がヘレスポントスを渡ってヨーロッパに侵入するときの出来事を記しています。ペルシア軍は船を並べ、船橋をかけて渡りました。このとき、実は最初にかけた船橋はヘレスポントスの潮の流れで破壊されてしまい、二度目の工事がやっと成功して渡ったのです。問題は第一回目が不首尾に終わったときの、ペルシア王クセルクセスの行動です。ちょっと長めですが、ヘロドトスの記述を紹介しましょう。

〈その知らせをうけたクセルクセスは、ヘレスポントスに対して大いに怒り、家臣に命じて海に三百の鞭打ちの刑を加え、また足枷《あしかせ》一対を海中に投ぜしめた。それのみか私の聞いたところによれば、ヘレスポントスに烙印《らくいん》を押させようと、その係の者を鞭打ち役人らとともに派遣したともいうが、それはともかくクセルクセスが役人に命じ次のような野蛮不遜の言葉とともに海を鞭打たせたことは確かである。

「この苦い水めが。御主人様がお前にこの罰をお加えになるのだぞ。ご主人様はお前に何も酷《ひど》いことをなさらぬのに、お前の方から御主人に弓を曳《ひ》いたからだ。クセルクセス王は御前が何といおうと、御前をお渡りになる。もとより御前に供え物をするような者はこの世に一人もおらぬ。御前のような濁った塩辛い流れには当然のことだ。」

クセルクセスはヘレスポントスにこのような罰を加える命令を下すとともに、ヘレスポントス架橋の責任者の首を刎《は》ねさせたのである〉(第七巻、第三五節)

王の行為は現代人から見ればまことに奇妙だし、滑稽にすらうつるかもしれません。しかし、当時、海はポセイドンを頂点とする神々の支配領域でした。王が罰したのはヘレスポントスの神、さらにはポセイドンだったのです。人間の身でありながら神に足枷をはめ、奴隷身分に落としたのです。この記述は、ヘロドトスのペルシア戦争原因論であり、ペルシア敗因論でもある、大変重要な場面だとわたしは考えています。ここでヘロドトスがいいたかったのは、クセルクセスが戦争を起こした原因は、自身を神々にも勝る人間と信じた、その「野蛮不遜」にあること、そしてペルシアが敗れたのも、こうした「野蛮不遜」を神々が許さなかったことにあるということです。ギリシア人の勝利はギリシアの「自由」の勝利ですが、それは、神々の、クセルクセスの「野蛮不遜」を罰しようとする意志によってもいたのです。

ペルシア戦争の究極の原因とペルシアの敗因がクセルクセスの「野蛮不遜」にあると説明されて、今日、納得する人はいるでしょうか。しかし、少なくともアテネ人は納得しているといいえます。というのは、**アイスキュロス**の悲劇『ペルシアの人々』でも、同じ事件が扱われているのです。そこでは大王ダレイオスが亡霊となって現れ、ヘロドトスと全く同様にこの事件を語ります。そしてペルシア人の敗戦の原因はクセルクセスが「人間でありながら、愚かしくもよろずの神々を、とりわけポセイドンを支配しようとした」ことにあると指摘し、「人間は傲慢な思いを抱いてはならぬ」と諭しながら消えていくのです。

トゥキュディデスのいう「変わらざる人間性」、ポリュビオスの「人間性」も、同じ意味で歴史の動因でした。わたしがさきほど「歴史を見る眼」の限界といったのはこのことに関わります。つまりヘロドトスの例が典型的に示しているのは、歴史の動因を人間に求めるのはよいとして、その人間の持つある「人間性」、ここではクセルクセスの「野蛮不遜」あるいは「傲慢」に行き着くと、かれらはそこで探究をやめ、それ以上に追究していないということです。これに疑問をわたしたちが感ずるのは、クセルクセスの人間性がそのようであったとしても、それ以外に、そうした個人的「人間性」を超えたもっと大きな原因があり、それがかれを背後から突き動かしていたのではないかと考えるからです。しかし、かれらはそこまでは踏み込みませんでした。このことは「古典的ヒューマニズムの限界」ともいわれますが、これもまた、古代の歴史学がもつ「科学性」を限界づけていました。そしてこの限界を打ち破ったのは、次章で見る、キリスト教的な歴史観でした。

ポンペイウス・トログスのローマ的世界史

最後に、ポリュビオスに始まったローマ的世界史記述と次章で述べるキリスト教的普遍史とをつなぐものとして、ポンペイウス・トログスを取り上げておきたいと思います。トログスはガリアのナルボネンシスにいたケルト人の一派ウォコンティイ族出身で、祖父はポンペイウスによって市民権を与えられ、父はカエサルに仕えて国家官房職、外交使節、国家印璽《いんじ》管理の役にもついていました。かれ自身については著作以外には生没年すらわからずほとんど知られていませんが、かれが生きた時代は、アウグストゥスの時代であったとすることができます。最も重要な作品は、現在は抄録しか残っていませんが、『ピリッポス史（Historiae Philippicae）』と題する四四巻からなる大著です。[14]

本書の叙述の中心となっているのは、表題にあるとおり、マケドニア王フィリッポス二世からアレクサンドロス大王、大王以後のヘレニズム諸国の時代までの歴史です。この点では、特定の時代を記述するというローマの歴史書の伝統を踏襲しています。しかしその実際の記述は、アッシリア史から始まってアウグストゥス帝時代のローマまでと、きわめて広範なものです。ポリュビオスが叙述したローマ史は、前一四六年におけるローマの地中海世界の制覇という歴史的事実を背景として成立した「ローマ的世界史」でした。これに対し、トログスの背後にあるのはアウグストゥスによるローマ帝国の成立という歴史的事実であり、こうして、かれは**ローマ帝国成立を背景にしたローマ的世界史**を記述した歴史家であったと位置づけることができると思います。

トログスのこの大作を支えているのは、二つの基本的考え方であるといえるでしょう。まず第一は、歴史の動因論です。かれによれば、エジプトやスキュティア王国などの最古の時代には、まだ「各自の祖国の領域の中に王権が限られていた」。しかし「一番最初にアッシリア王ニノスが、この古く、かつ、言わば諸種族に遺伝的とも言うべき慣わしを支配権への新しい欲望に変えた」。こうしてニノス以後の時代は、**支配欲**に突き動かされた諸王や諸民族間に闘争が絶え間なく起こる時代となったといいます（第一巻、二）。アッシリア以後の時代の歴史的動因として、支配欲という人間的欲望をおいているわけです。こうした考え方は、すでに「変わらざる人間性」としてわたしたちが見てきた、古代人に一般的な考え方です。こうした意味で、やはり彼の歴史観の根本には「古典的ヒューマニズム」があるということを、まず確認しておきます。

第二は、世界史記述の基礎にある**帝権移動論**（translatio imperii）です。トログスによれば、アッシリア以後は必ず闘争が起こるけれども、その闘争によって特定の国が最終的に勝利を収め、全世界を統《す》べる世界帝国の地位を獲得します。しかし、この世界帝国は、勝利を通じてそれが獲得した富によって今度は腐敗し始めて没落に向かい、その結果、新たな世界帝国にその地位を奪われ、こうして帝権が次々に移行していくのです。

最初の世界帝国は、**アッシリア**です。ただしかれのいうアッシリアは、今日の世界史に登場するアッシリアというよりは、古代ギリシア人が伝えている伝説的アッシリアです。このアッシリアは「全オリエント諸国民を制圧した」ニヌス（ニノス）を初代とし、第二代の女王セミラミスなどを経て最後の「女よりも堕落した男」サルダナパルスに至る一三〇〇年間、インドを含む全アジアを支配したと伝えられています。続いて、「支配権をアッシリア人からメディア人の許《もと》へと移した」のが、**メディア**総督だったアルバケスでした。しかしこのメディアも、三五〇年間世界帝国の地位を保持したのちキュロスによって打倒され、帝権は**ペルシア**人に移動したとされます（以上、第一巻、一〜七）。

ここまでは、アジアにおいて帝権が移動した時代でした。しかし、トログスによれば、アレクサンドロス以後の時代は、その様相が変化します。かれは、大王が「二重の帝国」を樹立し、「エウロパとアシアの支配権」を獲得したといいます（第一二巻、一六）。つまり、この時点から、東西の二大帝国の時代となるわけです。大王はその出発点にあたり、東西両支配権を一身で担った人物として登場したとされます。大王の死後もしばらくはこの「二重の帝国」がマケドニア（＝ギリシア人）によって継承されていきますが、やがてアジアの帝国が形式上も分離します。**パルティア**です（第四一、四二巻）。これに対してヨーロッパの帝権を担ったのが**ローマ**帝国なのです（第四三、四四巻）。こうして、かれが生きたアウグストゥス時代は、アレクサンドロスが開いた「二重の帝国」のうち、ヨーロッパにおける帝権を継承した時代として位置づけられているのです。

「支配権の移動」という思想は、前二〇〇〇年頃のイシン王朝の文書に「ウルは武力で打ち倒され、王権はイシンに移行した」（筆者訳）と記されており、すでにバビロニアで発生しています。しかし、これをさらに世界支配権の移動＝帝権移動論に発展させたのは、メディアからの支配権奪取を正当化しようとした**ペルシア**だとされます。

また、これをヨーロッパに伝えたのは、前四世紀前半のギリシア人歴史家クニドスのクテシアスだろうといわれます。かれの『ペルシア史』の基本的な考え方は、アッシリアからメディア、ペルシアへとオリエントの覇権が移動したとする考え方だったからです。

さらに、二世紀のローマの歴史家アッピアノスが伝えるところでは、ポエニ戦争の際（前一四六年）、破壊され滅亡したカルタゴを見たスキピオが、涙を流しながら、「アッシリア人とメディア人の国々、当時とりわけ巨大だったペルシア人の、そしてつい最近目もあやな登場を果たしたマケドニア人の諸国」（筆者訳）と数えあげながら、これらもカルタゴと同じ滅亡の憂き目を見たといって感慨に耽《ふけ》ったとあります。他にもいくつかの例が伝えられており、これらによって、「帝権移動」の考え方は前二世紀にはローマに伝えられたと考えられています。

トログスの帝権移動説はこのような流れを受けつぎ、それをローマ帝国に至る世界史の理論としたものです。そしてかれの作品は、この理論的基礎の上で、詳細な、また大規模な世界史記述を展開したものと考えることができます。アウグストゥス帝の時代に生きたトログスは、ポリュビオスとはまた異なったローマ史の段階を背景に、帝政期ローマを帝権移動説によって世界史の中に位置づけたのです。

第1章　註

本書では、原則として、引用に関しては本文中で巻数と節番号などによって所在を明記することとし、紙幅の都合上、註も最小限におさえた。また同一書からの引用については、すべて同一番号の註にまとめた。

1　太田秀通『ギリシアとオリエント』東京新聞出版局　一九八二、九頁以下。一一五頁。

2　エリアーデ、堀一郎訳『永遠回帰の神話』未来社　一九六三、二、三章。一六〇頁。

3　滝浦静夫『時間』岩波新書　一九七六、四二〜四三頁。
4　林健太郎・澤田昭夫編『原典による歴史学の歩み』講談社　一九七四、六七頁。
5　村川堅太郎『世界の歴史　2　ギリシアとローマ』中央公論社　一九六一、一五九頁。
6　伊藤進『怪物のルネサンス』河出書房新社　一九九八、六〇頁。五〇頁。
7　プリニウス、中野定雄他訳『プリニウスの博物誌』雄山閣出版　一九八六、第七巻第二章第三二節（第一分冊、三〇二頁）。
8　H・バターフィールド「歴史叙述」（前沢伸行他訳『歴史叙述』平凡社　一九八八所収、八〇頁）。
9　井上幸治編『民族の世界史　8』山川出版社　一九八五、三七頁。
10　マックス・ウェーバー、渡辺金一・弓削達訳『古代社会経済史』東洋経済新報社　一九五九、四七五頁。成瀬治『近代市民社会の成立』東京大学出版会　一九八四、三〇頁。
11　R・シャルティエ／G・カヴァッロ、田村毅他訳『読むことの歴史』大修館書店　二〇〇〇、一二頁。
12　M・L・W・レィスナー、長友栄三郎他訳『ローマの歴史家』みすず書房　一九七八、二三頁。
13　黒羽茂『新西洋史学史』吉川弘文館　一九七二、三九頁。
14　ポンペイウス・トログス、ユニアヌス・ユスティヌス抄録、合阪學訳『地中海世界史』京都大学学術出版会　一九九八。

第2章　ヨーロッパ中世のキリスト教的世界史記述——「普遍史」の時代

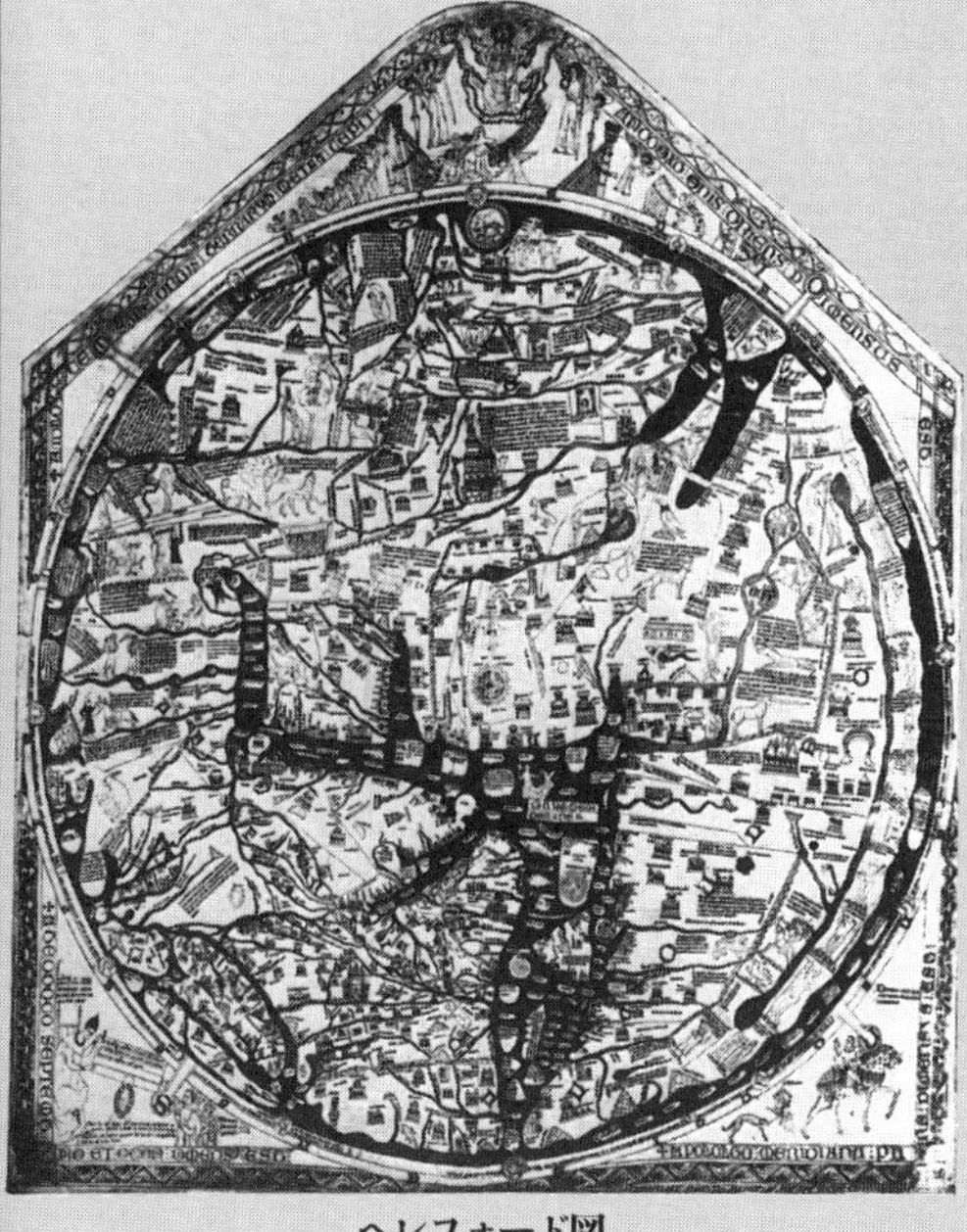

ヘレフォード図

第1節　歴史観の世界観的基礎

1――アウグスティヌスと古代的普遍史

アウグスティヌス（三五四～四三〇）は、「当時は、さほど重要ではない、古典文化の周縁に位置する田舎者とみなされていた」といわれ、かれに対する「アフリカ人の間では哲学者として通っている」という同時代人の皮肉な評言も残っています。[1] しかし、アウグスティヌスが重要なのは、何よりもかれが「中世教会にとどろく神学を創案した」からです。[1]

アウグスティヌスは、司教をつとめていた北アフリカの都市ヒッポで、ゲルマン人の一派ヴァンダル人に町が包囲されているさなかに息を引き取りました。かれが生きた古代最末期には、ゲルマン民族の移動、ローマ帝国の東西分裂などの激動が続き、キリスト教会でも、「異端」の問題をはじめ多くの課題が山積していました。かれは、こうした諸問題に包括的な解決を与え、中世にキリスト教が発展していく基礎も与えた、古代で最も偉大な教父でした。ここでは、かれの著作『神の国』（四一三～四二六年）によりながら、とりわ

中世ヨーロッパ史の概要

19世紀後半以来、中世は前期・中期（盛期）・後期の３期に区分されている。

前期（476年〜10世紀）

西ローマ帝国の滅亡（476年）後、ゲルマン人諸国の興亡、７世紀に興ったイスラム勢力によって、古代ローマ時代に実現していた「地中海世界」が崩壊。かわって東部では、東ローマ帝国を中心として「東ヨーロッパ世界」が形成される。西部ではフランク人による統一が進められ、800年、カール大帝の「西ローマ帝国復興」によってローマ皇帝とローマ教皇という二つの焦点を持つ「楕円ヨーロッパ」＝「西ヨーロッパ世界」が成立。キリスト教は、このころには北欧の一部を除いて西欧に広がっていた。

中期（**盛期**、11世紀〜13世紀）

最も「中世」らしい時代。社会の基礎となったのは農民（農奴）が働く荘園だった。荘園の所有者で農民支配者である領主たちは、主従関係を結び、騎士からローマ皇帝までピラミッド型の「封建制度」を築き上げる。自らも領主の一員であり、同時にこの世俗的社会秩序をイデオロギー的に支えたのが、教皇を頂点とするカトリック教会だった。

他方、中世都市が発生し、自治を獲得していく。都市にはゴチック様式の教会堂、大学などができ、「12世紀ルネサンス」とも呼ばれるように中世文化が花開いた。教皇の力が皇帝を凌駕し、教皇の主導権のもとでアジアに十字軍が派遣されたのも、この時代である。

後期（14世紀〜1453年）

中世的な政治秩序も社会秩序も揺るぎ始める。皇帝権に続いて教皇権も没落し、全ヨーロッパ的な権威が衰退。かわって王権が力を伸ばし、国王を中心とした新しい体制に移り始める。黒死病などの疫病や争乱が続いた時代でもあった。

け世界史記述との関係を中心に、かれが果たした役割を見ておきたいと思います。

救済史観

アウグスティヌスは、歴史観・歴史記述の面に関しても古代キリスト教の議論を総括し、中世への出発点を与えた教父でした。かれの業績で挙げるべき第一点は、救済史観と呼ばれる、キリスト教的観点に基づく人類史全体への見方を確立したことです。

キリスト教が古代ローマ人に約束したのは、現世での御利益ではなく、終末と最後の審判後に実現する「救済」＝神の国の実現とそれによる永遠の至福でした。これが人類史の終着点ですが、その始点となったのは、アダムとエヴァでした。かれらは神により、神の似姿を与えられて創造されましたが、原罪を犯したことによって楽園を追われ、ここから人類史が始まったのです。そしてこの始点と終点の間をつなぐ期間が現実の人類史となりますが、その歩み全体は、かれによって**神による人類教育の過程**と位置づけられました。人類史は、こうして、神の計画に沿った、人類の救済という目的に向かって進む、**直線的かつ発展的過程**と考えられるようになったのです。かれがまとめ上げたこの救済史観は、こののち、キリスト教徒の基本的歴史観として受け継がれていくことになります。

古代的普遍史の完成

聖書を直接的基盤とする世界史を、わたしは一八世紀の用語をもとに「普遍史」と呼んでいます。アウグスティヌスが果たした第二の大きな役割は、普遍史のうちでも「古代的普遍史」を完成し、具体的なキリスト教的人類史の記述を行ったことです（次頁**表1**）。

かれは人類史に二種類の区分を導入しました。一つは、神による人類教育発展の段階づけによる時間の区分（**時代区分**）です。第二の区分は、現実の人間の世界を**「神の国」**と**「悪魔の国」**に区分したことです。前者は神の愛と神による人類教育とを担っている人々の国で、「天上の国」とも呼ばれます。後者は、まだ神の教えの恩恵にあずからず、神の愛とは別の人間的原理で形成されている国で、「地上の国」とも呼ばれています。

まず時代区分については、『神の国』の最後で、人類史を「聖書の表現にしたがって、諸時代を日々として数え、それによって時代区分をあげる」として次のようにいいます。

〈第一の時代がいわば第一日で、アダムから洪水に至るまでである。第二の時代は洪水からアブラハムまでである。〔中略〕その時代から、福音書記者マタイが区切っているように、キリスト降誕に至るまで三つの時代がある。〔中略〕第一はアブラハムからダビデまで、第二はダビデからバビロン捕囚まで、第三はそこからキリストの肉における生誕までである。このようにわたしたちは五つの時代をもつことになる。わたしたちはいま第六の

表1　アウグスティヌスと古代的普遍史

（『神の国』〈413～426〉、第18章を中心に）

	創世紀元	天上の国	地上の国	
第1期	0	**天地創造、アダム** アベル、セツ	カイン レメクとその子供たち；技芸の発生	
第2期	2262	**ノアの大洪水** セム ペレグ	巨人の滅亡 セム　ヤペテ　ハム ニムロデ;バベルの塔;諸言語・民族の発生　ミツライム	
第3期		（ヘブライ人）	（カルデア）	（ギリシア）（ローマ）（エジプト）
			【アッシリア】 ①	【シキュオン王国】 初代;アイギアレウス
	3334	**アブラハム誕生**	ニヌス	エウロプス
			セミラミス	【アルゴス王国】
		ヤコブ誕生		初代;イーナコス →娘イオ、エジプトに入りイシスに
			ベロクス	オーギュゴスの洪水、少女アテナ出現
		ヨセフ死	マミュトス	プロメテウス活動　ヨセフ宰相
	3839	出エジプト	アスカタデス	【アテネ王国】 初代;ケクロプス デウカリオンの洪水
	3906	士師の時代開始		デュオニュソス、ヘラクレス 【ミュケーネ王国】【ラティウム王国】
		ラブドン	タウタネス	トロイ戦争　アエネアス
	4235	サウル	オネウス	
第4期		**ダビデ**		アテネ;王政廃止
		ソロモン神殿		ブロカス
	4598	アハズ	**滅亡**	**【ローマ建国ロムルス】**
			【メディア】	タレス
第5期		**バビロン捕囚**	**【ペルシア】**	ソロン、ピュタゴラスなど
		第2神殿	キュロス ダリウス ②	共和政に
				【マケドニア】 アレクサンドロス ③
		七十人訳聖書		
第6期	5349	**イエス生誕**	**アウグストゥス** ④ **【ローマ】**	
		ユダヤ人離散		

時代にいるのであるが、しかし、世代の数によって測ることはできない。それというのも、『時期や場合は、父がご自分の権威によって定めておられるのであって、あなた方の知る限りではない』といわれているからである。〔中略〕この第七日は、わたしたちの安息であり、その終わりは夕べではなく、いわば主の永遠の第八日であるということである〉（第二二巻、第三〇章、引用中の聖書の言葉は「使徒行伝」一の七）

神が六日間で世界を完成し第七日に安息されたとする創世記を下敷きにして、時代が区分されています。アダムの創造以下、選ばれたどの時代区分の指標も、もちろん聖書から採られています。このうち第一期はまた「幼年期」とも呼ばれ、神による人類教育はまだ始まっていません。第二期は「少年期」、第三期から五期までは「成年時代」とも呼ばれています。第二期以後は、神がモーセをはじめとする預言者を通じて与えた「律法」によって人類教育が行われました。ここまでが「旧約時代」です。

こうした時代区分のなかで、旧約時代の現実の人類史は、ヘブライ＝ユダヤ人一民族のみからなる「神の国」と、他の全ての民族が属する「地上の国」との対立・抗争として描かれます。「地上の国」が始まるのは第三期からだとされ、アッシリア、ペルシア、エジプトのほかギリシアの諸王国、ローマ等々、当時知られていた全民族の歴史が組み込まれています。また、この「地上の国」のなかで特別の地位を与えられている国が四つあります。この考え方の基礎になっているのは、旧約聖書にある預言書、「**ダニエル書**」です。

ダニエル書第二章には、カルデアの王ネブカドネザルが夢で見た巨像の話が出てきます。巨像は四つの部分からなり、頭が金、胸と両腕は銀、腹とももは青銅、足の一部は鉄、一部は粘土でできていました。ところが人手によらず切り出された石がその像の足を打つと、像は粉々になる一方、石は大きな山となったという夢です。預言者ダニエルの夢解きは、カルデアを含め四つの世界帝国が交代するが、第四の帝国が滅びるときは終末であり、その後神の国が実現するというものでした。これを**四世界帝国論**といいますが、この四つの世界帝国は、同書の七、八章を読むとカルデア、メディア、ペルシア、ギリシア人の帝国を意味するとわかります。しかしアウグスティヌスは、この四つの帝国とは、アッシリア、ペルシア、ギリシア(＝ヘレニズム諸国)、ローマだと読み替えています。

世界帝国論は、ポンペイウス・トログスの帝権移動論のところでも出てきました。トログスの帝権移動論が複線的構造を持ち、ダニエル書の第一の世界帝国がアッシリアではなくネブカドネザルの「カルデア」である点など、両者は完全に同一というわけではありません。また、ダニエル書では、ローマは扱われていません。このような相違はありますが、今日、もともとダニエル書の四世界帝国論自身も、トログス同様、ペルシアに由来しているとと推定されています。ダニエル書が第一の世界帝国を「カルデア」としたのは、ダニエルをネブカドネザル時代の預言者とする、その設定の結果であろうと考えられます。

トログスの記述は、キリスト教の教父たちがかれらの歴史観を形成していく際に、極めて大きな役割を果たすことになりました。合阪學氏によれば、橋渡しをしたのは、教父の一人ヒエロニムスでした。氏は、ヒエロニムスが実際にトログスを推奨していることを紹介しながら、「異教的な『帝権の遷移』の思想がトログスを通じてキリスト教徒に受け入れられたのである」と指摘しておられます。[2] アウグスティヌスの四世界帝国論は、このように、トログスのローマ的世界史記述をも継承したものだったのです。

「神の国」、「地上の国」双方の歴史で決定的な画期となっているのが、イエス生誕と初代ローマ皇帝アウグストゥスです。「神の国」の側では、神自身がイエスという人間の姿で現れて「福音」を伝えます。人類史は「新約時代」＝「老年時代」、キリスト教が全人類に行き渡ることで神による人類教育が完成する時代となります。「神の国」の担い手も、ユダヤ人からキリスト教会に移りました。「地上の国」でも、アウグストゥスによって、第四の世界帝国ローマが出発しました。第四の世界帝国は地上の国の最後となる帝国ですから、ローマ帝国が滅びるときは、人類史も終末を迎えるとされます。こうしてイエスとローマ帝国の誕生とによって、人類史は最後の段階を迎えたわけです。アウグストゥスの時代にイエスが生まれたのは偶然ではなく、神の計画によるものとされます。

最後に、人類史が「終末」を迎えた後は、「安息」を経て神の国が実現し、「永遠の第八日」が到来すると約束されています。このように、アウグスティヌスの人類史は、歴史の目的である、未来の神の国実現までを見通す歴史なのです。

かれの記述した歴史は、このように、時間的には人類の誕生（創造）から終末までを、また空間的には当時知られていた「世界」の全民族を、後で見るように怪物たちも含めてすべて包み込んでいます。こうした意味で、それはまさに当時における全人類について記述した、普遍的な世界史記述（**普遍史**、Universalhistory）であったといえます。かれ以後、これと同一タイプの**聖書に直接基づくキリスト教的世界史**が一八世紀まで書き継がれていきます。その基礎となったのが、このアウグスティヌスの古代的普遍史でした。

なお「普遍史」の歴史は別に拙著『聖書vs.世界史』（講談社現代新書、一九九六年）で書きましたので、以後、それと重なる部分はごく簡略化して述べることにします。

2――中世における「世界」

古代的世界像の継承とそのキリスト教化――中世的な三重構造の世界

中世の人々は、地理的世界像を古代ローマ人から引き継ぎました。その橋渡しをしたのも、アウグスティヌスでした。とはいえ、中世の「世界」は、一見したところでは古代のそれと同じですが、しかし全く同一だったわけではありません。かれらは、これを中世ヨーロッパ人に独特な「キリスト教化」を行ったうえで、受け取っているのです。

まず、世界の秩序は、プリニウスにおいては自然の秩序と受け取られていました。しかし、キリスト教徒の場合はそうではありません。人間を含む万有は神の奇蹟によってこの世に創造され、神の定めた秩序に従っているのです。古代から引き継いだ怪物もまた、「自然の驚異」ではありません。アウグスティヌスがいうように、「神の知恵」（『神の国』第一六巻、第八章）に基づいて、しかもアダムの子孫としてこの世に生まれてきたのです。

同じことは、三大陸からなる「世界」についてもいえます。一一世紀頃からヨーロッパで盛んに作られた世界図に「TO図（T-O Map）」があります（次頁図7）。アルファベットのTとOの組み立てによって描かれるのでこう呼ばれます。Oは世界をめぐるオーケアノス、Tの各部分はドン川、ナイル川、地中海です。ここまでは古代と同じですが、世界の中心におかれているのはイエルサレムです。また東が上に置かれているのは、東の果てには、かつてアダムとエヴァが住んでいた「楽園」がある、神聖な場所だったからです。ま

図7　TO図

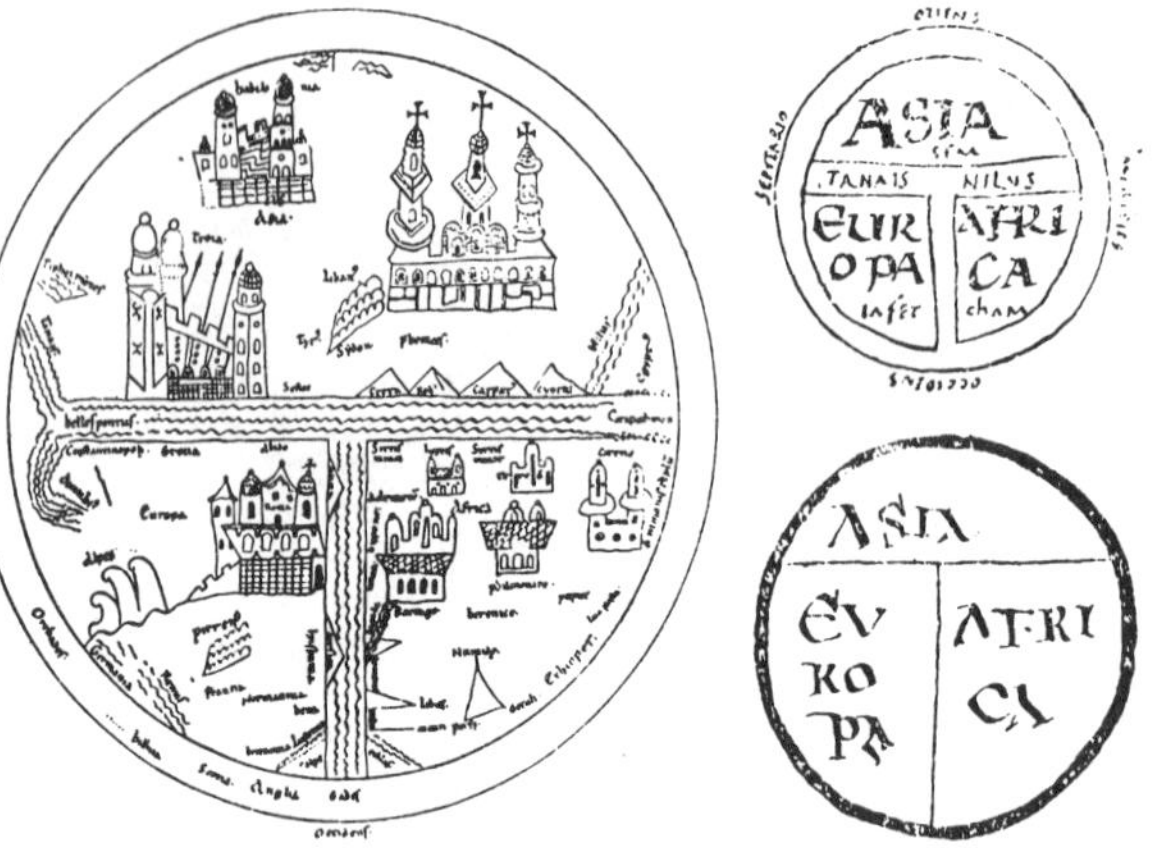

（織田武雄『地図の歴史－世界篇』講談社現代新書　1974より）

た各大陸に住む人間についても、それぞれ大洪水後に箱舟から出てきたノアの息子たちの子孫、つまりアジア人はセム、アフリカ人はハム、ヨーロッパ人はヤペテの子孫と考えられていました。このように、中世においては古代的世界像は継承されましたが、それは、キリスト教によって新たな意味づけを与えたうえで継承されているのです。

　古代的世界像のキリスト教化に関しては、七世紀から始まるイスラム世界の発展も、影響を与えました。イスラム教徒の西方への征服事業は北アフリカ沿岸を経由して急速に進められ、七一一年、イベリア半島の西ゴート王国が滅ぼされます。七三二年のツール・ポワティエの戦いでフランク人はイスラム教徒の撃退に成功しますが、こうしたイスラム教徒の動きは、ヨーロッパの人々には大きな脅威でした。そしてこの脅威が、ヨーロッパ人に「ヨーロッパ共同体」＝「キリスト教共同体」という自己意識を芽生えさせました。

西ローマ帝国を再興し、イスラム教徒に対抗できる権力を打ち立てたのはカール大帝でした。カール大帝が当時の聖職者たちによって「ヨーロッパの父、カール大帝」、「ヨーロッパ帝国の栄光」などと呼ばれたのは、このような事情からでした。このヨーロッパ＝「キリスト教共同体」という自己意識は異教徒の世界＝イスラム世界との対抗関係のなかで成立したものですが、この結果としても、古代的な世界像が変わりました。古代的な三重構造の世界が、キリスト教徒＝選民の住む地域、その外に異教徒の、さらに怪物的人間の住む地域からなる、**中世的な三重構造の世界**に転換したのです。

ヘレフォード図

中世ヨーロッパ人の世界像を具体的に示すものに、イギリス西部の都市ヘレフォードで、その大聖堂のために作成された「世界図（Mappa Mundi）」（一三〇〇年頃）があります（七三頁**図8**と本章扉）。TO図は、簡略な概念図でした。これをもっと詳細かつ大規模に表現したのが「世界図」です。直径が一・三二メートルもあり、現存するものとしては最大のものです。

本図の内容には、特徴が三点あります。まず第一に、**キリスト教化された伝統的世界像**が描かれています。三大陸からなる世界の上端にはエデンの園、中央には十字架の像でイエルサレムがあらわされており、TO図の要素がすべて書き込まれています。大陸の東の果ても、インドとされています。中央アジアの都市サマルカンドの左側に「セリカ(=中国)」と書いてあり、中国についての情報がかすかにあった様子もわかります。

ここには、第二に、**図像化された普遍史**が書き込まれています。エデンの園に接してアダムとエヴァの楽園追放、ユーフラテス上流にはノアの箱舟、中流にバベルの塔、チグリス河口の都市ウルにヘブライ人の祖アブラハムが描かれ、エジプトのラメセスからは、モーセに率いられて紅海を渡りエリコにいたる「出エジプト」の行程が線書きされるなど、旧約聖書にそった歴史が書き込まれています。四つの世界帝国も、首都で示されています。未来も描かれています。世界図の上の絵は最後の審判です。イエスの左手には、地獄の怪物に飲み込まれるという裁きをうけた罪人たち、右手には、天国で永遠の幸福を約束された人々が描かれています。この図には、アダムとエヴァから現在へ、さらに未来に行われる最後の審判に至る人類の歴史が、図像化されて記述されているのです。

第三に、「**中世的な三重構造の世界**」が表現されています。ヨーロッパは、キリスト教

図8　ヘレフォード図（1300頃）

徒＝選民の住む世界です。アジアとアフリカは、モーセの隣にマホメットが偶像崇拝者として記入されていることでもわかるように、異教徒＝偶像崇拝者の住む世界です。そして、ヨーロッパを除く他の二大陸の端には、数多くの怪物的人間や不思議な姿をした動物たちも描かれています。ここには古代ローマ人以来の化け物たちが網羅され、現に生きているものとして描かれているのです。中世の人々にとっては、安心していられるのはキリスト教徒の住む狭いヨーロッパのみで、その外は異教徒や怪物たちが横行する恐ろしい世界でした。その世界自体も、インドを東の果てとする狭いものでした。

ヘレフォード図が書かれたと同時期の一三〇〇年頃、マルコ・ポーロの『**東方見聞録**』が出ています。本書には周知のように中国やその東方にある日本（ジパング）についても書かれています。また、一三世紀は「モンゴルの世紀」ともいわれます。かれらがユーラシア大陸のほとんどを支配した結果、ヨーロッパから中国に至る交通路が開かれました。マルコ・ポーロはじめ何人ものヨーロッパ人がモンゴル人の帝国内を旅行し、アジアに関する最新情報もヨーロッパに入ってきました。そうしたなかで見れば、「ヘレフォード図」の世界は、一三世紀の新情報にまだ接していない、伝統的・中世的世界像でした。

しかし他方、マルコ・ポーロの情報自身にも妖怪人間や怪物などが混入しており、それは伝統的な世界像を否定するものではありませんでした。当時はまだ活版印刷術はなく書物は手書きで写されていた時代でしたから、『東方見聞録』も一部の人々に知られただけでした。モンゴル帝国の勢いが衰え、やがてオスマン帝国が発展すると、ヨーロッパとアジアの間の窓も閉じられて、ヨーロッパは一三世紀以前と同様な陸の孤島の状況に戻ります。こうしたなかで、伝えられた中国やアジアについての新知識も、再び伝統的な化け物世界誌とからみあっていきます。マルコ・ポーロの『東方見聞録』も、コロンブスなどが商業情報に徹底した読み方を開始するまでは、長い間、空想性や物語性の強い書物と同列に置かれていました。(3) 一三世紀の新情報は、結局、伝統的な世界像をいったんは動揺させたにしても、それに根本的変化をもたらすことはできなかったのです。

3――中世における時間

ベクトル的時間

中世における時間像の特徴は、まず、天地創造＝アダムとエヴァの創造という**始点と終点**（＝終末）とをもっていることです。創造以前には時間は存在しませんでしたし、終末以後は時間は消滅します。したがって、この始点と終点との間にある期間だけ、人類は時間のもとで生きるのです。そこでは、アウグスティヌスのところで見たように、歴史は繰り返しません。歴史は、一回しか発生しない事件（**一回的事件**）の連なりなのです。つまり、始点と終点を結ぶのは、円ではなく直線だということになります。さらに、神による人類教育の過程である人類史は、神の国実現という目的に向かって**発展・上昇**していくものとされています。したがってこの時間のイメージは、一定の方向性を持って上昇する始点と終点のある直線、つまりベクトルのイメージに重なることになります。そしてベクトルに方向を与えているのは、**歴史の原動力である神**ということになります。

こうした「時間」は、古代の円環的時間とも、近代のわたしたちの時間とも、また異なっています。時間の観念が異なるということは、中世のキリスト教的時間のなかで、人々は、古代ともまたわたしたちとも異なった目で、歴史を見ていたということになります。

時代区分の発生

古代の円環的時間のなかでは、時代区分は生まれませんでした。これに対しベクトル的時間の中では、まず歴史の進む「方向」が問題になります。もちろんそれは、神の国の実現です。そして歴史全体はこの目的に向かう、「発展」の過程です。しかしその発展は、無数の、繰り返しではない「一回的事件」の連鎖を通じて実現します。その連鎖を全てそのまま記述したのでは、かえって全体が見えなくなります。そこで、人類の歴史全体が進む目的＝方向を見定めたうえで、そこに至る「発展」の全体的見通しを簡潔に示す見取り図が必要となってきます。発展の段階を区分して示すことが必要となってくるわけです。こうして、アウグスティヌスの例でも見たように、時代区分が発生してきたのです。

時代区分は、現代の歴史記述でも行われています。それどころか、時代区分は歴史学では「アルファでありオメガである」ともいわれます。歴史を研究したり全体像を考えたりするとき、これまでの研究の蓄積をまず受け取るという意味で出発点となると同時に、研究や考察の結果これを変革するという意味で、目的ともなるのです。こうしたことがいわれるのは、**最も簡潔かつ大規模に歴史の発展に関する全体的見通しを段階的に表現したもの**という性格を、現代の時代区分と中世のそれが共有しているからです。もちろん、現代の時代区分では、発展の方向も段階づけも中世の人々とは異なっています。またその実例には様々のものがありますが、それについては、徐々に紹介していくことにします。

終末観と人類史六〇〇〇年の観念

始まりと終わりのある時間という観念は、今日のわたしたちとはずいぶん異なった歴史意識を生み出すことになりました。その代表的なものは、「終末」への強い意識と、これとも結びついている、人類史は六〇〇〇年間で終わるという一つの固定観念です。

古代のキリスト教徒の間では、「終末」を希求する意識がきわめて強かったといわれています。そのことは、新約聖書の最後におかれている**「ヨハネの黙示録」**にも表れています。本書には、七つの封印が解かれた後、七人の天使が次々にラッパを吹く毎に終末に近づいていく歩みが、様々な象徴や比喩を駆使しながら記述されます。第七のラッパが鳴り響くと「再来のキリスト」が現れ、そのもとで「千年王国」が実現し、その後に神の国が実現すると預言されていますが、本書はその再来のキリストへの「来たりませ!」という熱烈な呼びかけで終わっています。このように、「終末」が近いという強い意識が、迫害のなかでキリスト教徒たちを支えていた信仰内容の一つだったといえるでしょう。

「ヨハネの黙示録」とほぼ同時代、紀元一世紀後半から二世紀なかばまでにかけて書かれた、「使徒教父文書」と呼ばれる文書があります。当時キリスト教徒たちは、使徒の弟子の世代の教会指導者たちから手紙による指導を受けながら、信仰をはぐくんでいました。「使徒教父文書」はそうした諸文書を集めたもので、これらは、荒井献氏によれば、「伝統的には、時代的にも思想的にも、新約聖書に次ぐものとみなされた諸文書」(4)とされています。このような性格を持っている文書の一つ、**「バルナバの手紙」**(七〇～一四〇年に成立)には、次の一節があります。

〈子供たちよ。六日間に完成したということが何を意味しているかに注意なさい。これは、主は六千年の間にすべてを完成されるであろう、ということである。というのは、彼においては一日は千年を意味しているからである。実際彼自身がわたしに、「見よ。主の一日は千年のようであろう（詩篇90・4）」と言って、（そのことの）証言をしておられる。それゆえ、子供たちよ。六日の間に、（つまり）六千年の間に、すべては完成されるであろう〉(4)（佐竹明訳、荒井献編『使徒教父文書』講談社文芸文庫所収）

アウグスティヌス同様、神が六日間で天地創造を完成したことと人類史とが結びつけられ、さらに詩編九〇―四、「モーセの祈り」にある一句を根拠に、ここでは人類史は六〇〇〇年間で「完成」する、つまり「終末」を迎えると記されています。

このように、終末が近いという強い意識や人類史が六〇〇〇年間という考え方は、古代のキリスト教徒から発生したものです。しかし、それらは中世にも伝えられ、いわば伏流として中世を通じ、さらに中世を超えて流れ続け、時々ヨーロッパ史の表面に噴出してきます。その具体例についてはこれから何度か出会うことになるでしょう。

第2節　中世的歴史学・世界史像の特質

救済史観と「歴史の意味」の探求

二〇世紀イギリスの歴史学者コリングウッドは、紀元四、五世紀を「キリスト教思想の革命的影響を受けて、歴史の観念が改まった(5)」時代としています。このなかで最大の「革命的影響」を与えたのが、アウグスティヌスでした。かれは『神の国』の第一部（第一〜一二巻）で上に紹介した普遍史を記述しているのですが、それに先立つ第一部で、他の古代の宗教・哲学を批判しつつキリスト教の弁護を行っています。この弁護の議論が、「革命的影響」の一つ、「歴史の意味」の探求を歴史学にもたらすことになりました。

アウグスティヌスはまず、ギリシア、ローマ人の宗教が現世での御利益を約束するにすぎない宗教であると指摘します。ローマ人たちはきわめて信心深い民族で、神々に祈りや犠牲《ささげもの》を熱心に捧げていました。しかしそれは、祈りや犠牲を受け取った見返りに、神々がかれらの願いを叶えてくれるものと考えていたからでした。こうした考え方の原理を弓削達氏は「**相互授受**(6)」と呼んでおられます。例えば、マーキュリー（ギリシアではヘルメス）は商業の神でした。祈りを捧げたのは当然商人たちで、捧げた犠牲を神が嘉納されれば、見返りとして神の加護が与えられて商売が繁盛し、利益が上がるということになります。

しかし、ことは単純にはいきません。というのは、この神は、泥棒や強盗たちにとっても守護神だったのです。もし神がかれらの差し出した犠牲を受領したら強盗が成功するという、奇妙な事例が生ずることになります。これは極端な例です。しかし現世における人間の営みに深く結びつき、そこから出てくる願いを叶えるという神々の性格は、人間の個別的な願いが相対立することがよくある以上、これに類した矛盾も生み出すことになります。しかも、これらの神々が関係するのは現世における人間たちであって、死後の人間にまで恩恵を与えるものではありません。アウグスティヌスは、こうしたギリシア、ローマの神々とその宗教・哲学を批判しながら、これにキリスト教の全知全能の唯一神が人間に約束している「永遠の至福」を対置して、キリスト教を弁護したのです。

ただ、弁護はこれだけでは不充分でした。というのは、この「相互授受」の原理はキリスト教徒にも浸透していましたし、実は、コンスタンティヌス帝がキリスト教を公認したのも、キリスト教の神による帝国への見返りを期待してのことでした。ところがそこに、四一〇年、西ゴート王アラリックによるローマ掠略《りょうりゃく》という大事件が起こります。キリスト教を国教としたにもかかわらず、永遠の都ローマが蛮族に蹂躙《じゅうりん》されたのです。そこで、その原因を古い神々からキリスト教の神に乗り換えたことにもとめて古い神々の怒りによるとしたり、さらにはキリスト教の神の責任を問う批判が、ローマ人たちから起こってきたのです。かれが『神の国』を執筆した動機は、この批判に応えるためでした。そこでは、「相互授受」の原理を批判するだけでなく、唯一神であるキリスト教の神を奉じているローマがこうむった「災厄」について、説明がなされなければならなかったのです。

アウグスティヌスは、この問題に答えるにあたって、二つの主張を展開します。まず第一は、**ローマ人の国家は罪の所産**という主張です。それはローマ人の「自己愛」、「支配欲」、「名誉欲」、最も根本的には「傲慢」によって生み出されたものであって、それは罪の所産であるということです。ローマ人の伝統的な価値観を否定して、ローマ帝国を、そこで生きる価値のないもの、「悪魔の国」にほかならないと主張したのです。

第二に、かれは人間を「死すべき理性的動物」と規定しますが、この人間の「**理性の不完全さ**」を強調します。ローマで起こった事件を人々は「災厄」と判断しているけれども、それはその限られた理性による判断にすぎないのです。それは、あくまで不完全な判断にすぎません。そしてその歴史的事件の真の意味は、不完全な人知を超えたある存在によって与えられていると主張するのです。もちろんその存在こそは、全知全能のキリスト教の神にほかなりません。そして『神の国』第二部におけるかれの普遍史の記述は、自らが提出したこの「歴史の意味」に関する主張の具体的展開を、つまり、歴史を神による人類教育の過程とし、この立場から見た諸事件の意味の解明を行ったものだったわけです。

かれは、この「歴史の意味」の探求によって、古典的ヒューマニズムの限界を打破したといえます。歴史的事件の原因探求において、それを単に当事者個人の意図や性質に帰するだけでなく、さらにその当事者が意識もしていなかったような何らかの原因にまで思いを巡らしてそれがかれを突き動かしていた可能性を吟味し、また歴史全体の進む方向とも関係づけながら真の原因を探求するということ、このような発想を生み出したのは、古代のキリスト教徒たち、とりわけアウグスティヌスだったのです。

救済史観は、こうして歴史への接近に革新をもたらしたのでした。わたしたちは歴史的事件の意味を考える場合、普通、神を持ち出すことは行いません。しかし、「歴史の意味」を探求すること自体に関しては、古典的ヒューマニズムの限界を打ち破ったアウグスティヌスの議論に、今まで気がつかないままに、一定の恩恵を被っていたのです。

オットー・フォン・フライジングとカトリック的普遍史

中世的普遍史の完成者となったのは、『年代記』(一一四六年)を著し、ドイツのフライジングで司教を務めたオットー(一一一二?～五八)でした。

かれの記述は、古代ローマ帝国まではアウグスティヌスをほとんどそのまま踏襲していますが（表2）。そこで、かれが行ったことはアウグスティヌス死後の時代を書き継いだだけとも見えます。しかしそこには、乗り越えるべき大きな問題がありました。その問題とは、**西ローマ帝国の滅亡とその後の時代の意味**を解明するということです。というのは、アウグスティヌスはじめ古代のキリスト教徒にとっては、「ローマ帝国」はあくまでラテン人のローマ帝国であり、しかもそれは第四の世界帝国であって、それが滅びるときは、人類史も終末を迎えるはずだったのです。しかしそれが滅びた後も、すでに数世紀も経過してなお、世界は終末を迎えることなく存続しているのです。

オットーはこの問題を、第1章で述べたポンペイウス・トログスの「帝権移動（translatio imperii）」論に助けを求め、これを拡張することで解決しました。カール大帝が皇帝に即位したことについて、かれは次のように述べています。

〈主の托身から八〇一年、ローマ建設から一五五二年、その統治第三三年、カールは教皇によってパトロキウスの称号を与えられ、アウグストゥス以後第六九代の皇帝かつアウグストゥスと呼ばれたのである。〔中略〕コンスタンティヌス帝から以後当時まで首都に、すなわちコンスタンティノープルに中心がおかれていたローマ人の統治権は、こうしてフランク人に移されたのであった〉（第五巻、第三一節、筆者訳。なお、当時クリスマスを一年の始まり

表2　オットー・フォン・フライジングと中世的普遍史

（『年代記』1146）

	創世紀元		エルサレム	バビロン	
第1期	0		**天地創造、アダム**		
第2期	2262		**ノアの大洪水**		
第3期		ニヌス紀元	（ヘブライ人）	（カルデア） **【アッシリア】**	（ギリシア）（ローマ）（エジプト） 【シキュオン王国】 初代;アイギアレウス エウロプス
	3334	42	**アブラハム誕生**	① **ニヌス** セミラミス	【アルゴス王国】 初代;イーナコス →娘イオ、エジプトに入りイシスに
		260		ベロクス	オーギュゴスの洪水、少女アテナ出現 ヨセフ宰相
			ヨセフ死		【アテネ王国】 初代;ケクロプス
	3786	495	出エジプト	アスカティデス	デウカリオンの洪水 タンタルス、オイディプス 【ミュケーネ王国】【ラティウム王国】
		870	サムソン	タウテネス	トロイ戦争　アエネアス
第4期			**ダビデ** ソロモン神殿		アテネ、王政廃止
		1260	ウジヤ	サルダナパルス	ブロカス 第1回オリンピック
	4484	1300	アハズ	【メディア】	**【ローマ建国ロムルス】**
第5期		ローマ紀元	**バビロン捕囚**	**【ペルシア】**	ソロン、ピュタゴラスなど の哲学者達
		244	第2神殿	キュロス ダリウス	マラトンの戦い　共和政に
		483		②	**【マケドニア】** アレクサンドロス ③
第6期	5500	**イエス紀元** 752 ＝1	**イエス生誕** 最後の迫害	**④ローマ帝国** **④—a；異教徒ラテン人皇帝時代** **初代皇帝アウグストゥス** ディオクレティアヌス帝	
				④—b；「混合状態の教会」時代 **1. ギリシア人皇帝時代**	
		313		コンスタンティヌス帝キリスト教公認	
		481		カトリック教会とキリスト教ローマ帝国の結合（楕円ヨーロッパ形成期）クロヴィスの改宗	
				2. フランク人皇帝時代	
		801		68代女帝イレーヌから**帝権移動→69代皇帝カール** （楕円ヨーロッパ完成期）：ハインリヒ3世	
		1047		3. グレゴリウス7世　ハインリヒ4世 （楕円ヨーロッパ崩壊の時代）→間近に迫った終末	

としていたので、ここでは即位が八〇一年と記されています）

これによれば、第四の世界帝国であるローマは、なお現存していることになります。というのは、西ローマ帝国は滅びたけれども帝権は消滅せず、帝権はギリシア人（東ローマ帝国）に移行し、カール大帝によって再びヨーロッパに移動したからです。そして現在は神聖ローマ帝国へと継承されているといい、こうして、ラテン人のローマ帝国の滅亡が人類史の終末とならなかった理由を説明したのです。さらにかれはこれを基礎に、コンスタンティヌス帝以後の歴史の意味を、**「混合状態の教会」**が発生し、それが完成し、そして崩壊に至る時代としました。かれのいう「混合状態の教会」とは、皇帝と教皇という二つの焦点を持つものとしての「ローマ帝国」を意味します。当時まだ「中世」という言葉はありませんでしたが、かれは、中世世界をいわば「楕円ヨーロッパの時代」として意義づけ、それによってローマ帝国史を再編成して、中世的普遍史を完成させたのです。

オットーの祖父は、「カノッサの屈辱」事件で敗れたハインリヒ四世でした。オットーの理想とした両権力の協調による平和の実現は、これによって崩れました。オットーの目には、協調が破れたそれ以後の歴史は、第四の帝国であるローマ帝国＝混合状態の教会が崩壊に向かったと映じています。そして、今度こそ、きわめて近い将来に**終末**が訪れると考えています。

〈第四の帝国の末期に生きているわれわれは、まさに終末について預言されていることを経験しつつあり、したがってかの恐るべき事が間もなく起きるであろうと、考えざるを得ないのである〉(第二巻、第一三節)

かれの目は「終末」に注がれており、本書の終わりの部分では、最後の審判に関するさまざまな考察が行われています。この点、本書も、普遍史の特徴である、終末を強く意識した歴史書となっています。しかし終末に関する議論には、わたしたちの観点から見逃せない、別の側面も見えます。というのは、かれはここで、「怪物や胎児については、『理性的で死すべき生き物』という定義に当てはまるものは全て起きあがり、生きるか死ぬかを定められるべきだと思う」(第八巻、第一二節)といっているのです。怪物たちもアダムの子孫であるとしたアウグスティヌスが受け継がれていることがわかります。また、「世界はアジア、アフリカ、ヨーロッパの三つの部分からなっている」(第一巻、第一節)、あるいは「インドは東部が大洋に面していて世界の果てとなっている」(第二巻、第二五節)とも述べています。化け物世界誌や地理的世界像についても、かれは古代、あるいはアウグスティヌスを受け継いでいます。同時にそれは、ヘレフォード図で示されるような、当時の人々が信じていた現実の「中世的な三重構造の世界」全体についても説明を与えています。つまり、かれの『年代記』は、ヨーロッパの中世中期という時代における代表的な世界史記述として位置づけることができる書物だったということになります。

かれが恐れた終末は到来しませんでした。かれの歴史書はその後も中世を通じて受け継がれていきますが、宗教改革の後は、あらたに成立してくるプロテスタント的普遍史に対して**カトリック的普遍史**という地位を与えられ、その後も読み継がれていきました。

キリスト教的年号の発生

中世的世界史記述＝普遍史の、他の特徴についても見ておきましょう。まず指摘しなければならないのは、キリスト教的年号の発生です。それは二種類あって、一つは古代に発生した「**創世紀元**（**世界年代**）」と、中世に発生した「**キリスト紀元**（**イエス紀元**）」です。

ギリシア人は前七七六年を紀元とするオリンピック紀元を持ち、ローマ人は前七五三年を紀元とするローマ建国紀元の年号を持っていました。しかし、それらは民族を単位とする年号でした。紀元二八四年のディオクレティアヌス帝の即位を紀元とする年号は、ローマ帝国内で広く使用されましたが、しかしこの「ディオクレティアヌス暦」も、ローマ帝国を超えてまでは使用を強制できるものではありませんでした。それに対しキリスト教は、民族や地域を超えた、世界宗教としての性格を有しています。キリスト教は、こうした性格から、人類全体を包含する普遍的な年号を必要としていたといえます。

普遍的年号として最初に登場したのは、天地創造を紀元とする、創世紀元の年号（世界年代）でした。その基礎となったのも聖書でした。創世記第五章と一〇章には、アダムの系図とノアの系図が、それぞれの父祖たちが生まれたときの親の年齢を明記して書かれています。日本語聖書では、アダムはセツを一三〇歳でもうけ、九三〇歳で死んだと記されています。セツは、天地創造後満一三〇年で生まれたことになります。こうした数値を加算していくと、例えばノアの大洪水は天地創造後一六五六年に起こったと計算されます（一〇六頁**表3**参照）。このような数値を基礎にした**キリスト教年代学**が生まれ、整備されたのは、古代ローマ時代でした。アウグスティヌスも、『神の国』では、こうした創世紀元を基礎にし、それにローマ建国紀元などを併記しながら年号を記しています（六四頁**表1**参照）。つまり、まだローマ時代には、キリスト紀元はなかったわけです。ローマ時代のキリスト教徒には「終末」の意識が強く、イエス以後を特別な期間として意識することもなかったといわれます。それに創世紀元は天地創造から終末までを測る時間的物差しという性格を持っていましたから、別の年号を考えようという意識も生まれなかったし、その必要もなかったのです。

しかし、中世にはいるころには、「新約時代」はイエスが世界と時間の支配者だとする意識も生まれてきます。そしてこうした新しい意識を基礎に、イエス紀元が考案されてきます。とはいえ、直接の契機となったのは、復活祭表の改訂という教会の必要からでした。復活祭は移動祝祭日ですからあらかじめ計算しておく必要があるのですが、それまで使用されてきた復活祭表が終わりに近くなったので、更新しなければならなくなったのです。計算をゆだねられたのは、スキタイ人の修道士、**ディオニシウス・エクシグウス**ですが、かれは、五二五年、その計算結果を発表した『復活祭の書』で、次のように述べました。

〈聖キュリロスの定めた期間はディオクレティアヌス暦第一五三年に始まり二四七年で終わっているが、〔中略〕われわれの定める期間を不信心な迫害者の記憶に結びつけることを好まなかったから、われわれはむしろ時を数えるのに、われわれの主イエス・キリストの体現から数える方法を選んだ。それはわれわれの希望の始まりがわれわれにもっと親密なものとなり、人間の再生の原因が、すなわちわれらが救世主の受難が、より明らかに際だつようにするためである〉(筆者訳)

教会はそれまで、アレクサンドリアの司教キュリロスによる復活祭表を利用していました。そこでは、年号が「ディオクレティアヌス暦」で示されていたのです。帝は最後のキリスト教徒の大迫害を行った皇帝でもあり、キリスト教徒はこれを嫌って「殉教者の紀元」とも呼んでいました。そこでディオニシウスは、これを機に、新たにキリスト生誕の年月を計算し直してキリスト紀元(ディオニシウス暦)を定めたのです。

キリスト紀元は地域の独立性が高かった中世では浸透に時間がかかり、早めに見積もっても、一般化するのは一〇世紀末くらいです。その場合でも、例えばオットー・フォン・フライジングは、全時代にわたって創世紀元を使用しますが、キリスト紀元は、イエス以後の時代についてのみこれと併用しています（八五頁**表2**参照）。「イエス前」などという年号も見られず、その時代にはアッシリア初代の王を紀元とする「ニヌス紀元」と「ローマ紀元」を創世紀元の補助としています。つまり、中世においてはイエス紀元は**創世紀元の補助**にすぎず、「イエス前」という年号はなかったし、その必要もなかったのです。

ところで、イエスの生誕年は、創世紀元に換算するとどのような年号になるのでしょうか（一〇六〜一〇七頁**表3**）。古代のキリスト教年代学も、それを受け継いだオットー・フォン・フライジングも、ギリシア語訳聖書をもとに計算しています。ユリウス・アフリカヌスでは五五〇〇年、エウセビオスとヒエロニムスでは五一九九年、アウグスティヌスでは五三四九年、オットー・フォン・フライジングは五五〇〇年となっています。これと、人類史六〇〇〇年という観念を重ねるとどうなるでしょうか。カトリック正統派では、アウグスティヌスの文章にもあるように（六五頁）、終末の年号は神が定めることとされていました。しかしこれらの数値をみると、古代ローマの末期に生きた人々にとっては終末が間近だったということになります。オットー・フォン・フライジングの場合などは、年数上ではとっくに終末をすぎた数値になっています。古代のキリスト教徒たちには終末が切迫しているとの意識が強かったとか、普遍史は終末論的意識の強い歴史であるとか何度もいってきましたが、その背後には、このような年号計算も関係していたと、わたしは考えています。

非科学的歴史

キリスト教的歴史記述は、「歴史の意味」の探求を付け加えたことで、歴史学に新たな局面を切り開きました。しかしこれは今日からの評価であって、当面は、歴史学を大きく前進させたとはいえません。諸帝国の興亡について、アウグスティヌスはいいます。

〈正しい審判と援助とをもって人類を決して見捨てられない唯一真実の神が、それを欲しられたとき、またその欲しられるかぎり、ローマ人に支配権を与えられたのであるが、その同じ神は、アッシリア人と、それからまたペルシア人にも〔中略〕支配権をあたえた〉

(『神の国』第五巻、第二一章)

かれにあっては、四つの世界帝国から大小の国々の興亡、民族の盛衰、さらに個人の栄華や没落に至るまで、全ては「唯一真実の神がその御意のままに統《す》べ導かれる」のです。また、イエス生誕とアウグストゥスの帝政開始が同時代であったことも、かれは神の計画としていました。このように、「歴史の意味」の探求は、実際には、「神の意志」、「神の計画」、「摂理」による説明に帰着します。しかしこのような議論が過度になると、持ち出された「摂理」に議論の安易さを感じ、当時のキリスト教徒ならともかく、わたしには首をかしげざるを得なくなるような記述も行われます。例えばアウグスティヌスと同時代の教父オロシウスは、『異教徒論駁《ろんばく》のための歴史七巻』（四一八年）で、アッシリアが滅んだ直後にローマが建国されたと述べて、それは「全て神の言語に絶する神秘と、最も深遠な審判による配剤」（第二巻、第二節、筆者訳）だったといいます。また、「神の定めによって皇帝が〔中略〕平和を達成したまさにそのときにキリストが誕生し」、そして「神がこの偉大な神秘を予定されていた皇帝がケンススを命じ、〔中略〕キリストが生まれてローマのケンスス・リストに登録された」（第六巻、第二二節）と述べるなど、ことあるごとに「神の定め」や「神秘」を持ち出します。オットー・フォン・フライジングの場合も、同様な記述が見られますし、またかれは、かれが生きた当時の諸事件を「ダニエル書」によりながら解釈し、終末の時代と位置づけることも行っています。

このように実際の記述に接すると、古代ギリシア、ローマの歴史書にくらべて、「科学性」という点ではむしろ劣っていると考えざるを得ません。そうなった理由は、何よりも当時の歴史記述がキリスト教という宗教を基盤として成立し、しかも歴史書を著したのが、神の支配とその栄光を人々に宣布することを任務とする聖職者や神学者だったことに由来すると考えられます。しかもかれらは、人類史の具体的内容や歴史の意味をめぐる議論の根本に、常に聖書をおいていました。聖書を直接基盤とする普遍史は、こうした書き手自身や書き手の目的、さらにその方法からも、非科学的性格を受け取ることになったと考えられます。古代の場合は「市民」にとっての実用性が目指されたために一定の「科学性」が生まれたとすれば、中世の場合は、聖職者や神学者たちが神の栄光を示すことを目指したために、「科学性」の後退をもたらしたともいえると思います。

第2章 註

1 ギャリー・ウイルズ、志渡岡理恵訳『アウグスティヌス』岩波書店 二〇〇二、一頁。八二頁。
2 第1章 註14、解説。
3 大黒俊二「『東方見聞録』とその読者たち」(『岩波講座 世界歴史12』岩波書店 一九九九所収)。
4 荒井献編『使徒教父文書』講談社文芸文庫 一九九八、解説文一一頁。七三頁。
5 R・G・コリングウッド、小松茂夫他訳『歴史の観念』紀伊國屋書店 一九七〇、四九頁。
6 弓削達『地中海世界』講談社現代新書 一九七三、一五四頁。

第3章　ヨーロッパ近世の世界史記述——普遍史の危機の時代

メルカトル

メランヒトン
（クラーナハ画〔1543年制作〕。
Heinz Scheible; 'Melanchthon',
München, C. H. Beck, 1997より）

第1節　歴史観の世界観的基礎の変化

大航海時代と「世界」の拡大

「大航海時代」の動きは、その反動として、ヨーロッパ人自身の世界史記述の基礎にも大きな変化をもたらすものとなりました。その変化の第一は、三大陸からなる平円盤状の世界という伝統的観念が崩れたことです。中世以来ヨーロッパの人々は、世界の果てには奈落があるとか、南方では海が沸騰していて進むことができなくなるなどと考えていました。コロンブスの場合、かれが「発見」した島々をインド東端にあると考えていたこと、またかれが出会った先住民をインディオと呼び、それが現在の「西インド諸島」、「インディオ」という呼称の直接の起源になっていることはよく知られています。コロンブスは、まだ伝統的な三大陸からなる世界の観念のなかで航海を行ったわけです。続いて、アメリゴ・ベスプッチが、一五〇三年、自らの探検航海に基づいてこの大陸を「新大陸」と呼び、これが契機となって大陸に「アメリカ」の名が与えられることになりました。

こうした動きをうけ、マゼランの世界周航（一五一九〜二二）を経た一五六九年、オラン

近世史の概要

もともと「代」も「世」も「よ」であり、「近世」も「近代」も同義で、原語もmodernの一語である。しかし日本史の時代区分では、中世と近代との間に「近世」という時代が設定されてきた。その開始の時期は諸説あるが、戦後一時期は、豊臣秀吉による太閤検地に始まり江戸時代末までを近世＝封建時代とする考え方が定説化していた。他方、西欧では「近代」を2期に分け、18世紀末までを「early modern」と呼ぶことが行われ、これに「近世」という訳語が当てられてきた。

この「近世」の時代、西欧ではルネサンス、宗教改革などが行われ、さらに17世紀の「科学革命」、18世紀の「啓蒙主義時代」へと、文化面で大きな変化が起こる。政治面でも、中世的秩序が崩れて君主を中心とする「主権国家」が生まれ、ヨーロッパ世界も「主権国家体制」と呼ばれる、新たなヨーロッパ国際社会を形成した。さらにこの時代の末期になると、イギリスの市民革命、アメリカの独立革命があり、さらに経済面では、イギリスを先頭に、資本主義的な経済原理が広がる。

他方この時代は、ヨーロッパ人の「大航海時代」に重なっている。ポルトガル人、スペイン人を先頭にオランダ人、イギリス人、フランス人などが世界各地に進出し、彼らの活動を通じて、世界の一体化が次第に形成され、地球全体が一つのシステムとなっていくのである。

日本では、1980年代に入り、それまで大きな影響力を保っていたマルクス主義に代わって、こうした世界の一体化に注目するウォーラーステインの「世界システム論」が広がった。この動きとも関係しながら、今日、15世紀末ないし16世紀初めから18世紀いっぱいまでを、日本と西欧だけでなく、アメリカ大陸やアジア、アフリカも含む、世界史全体における一つの時代として「近世」と呼ぶ研究者が増えてきている。

図９　メルカトルの世界地図 (1569)

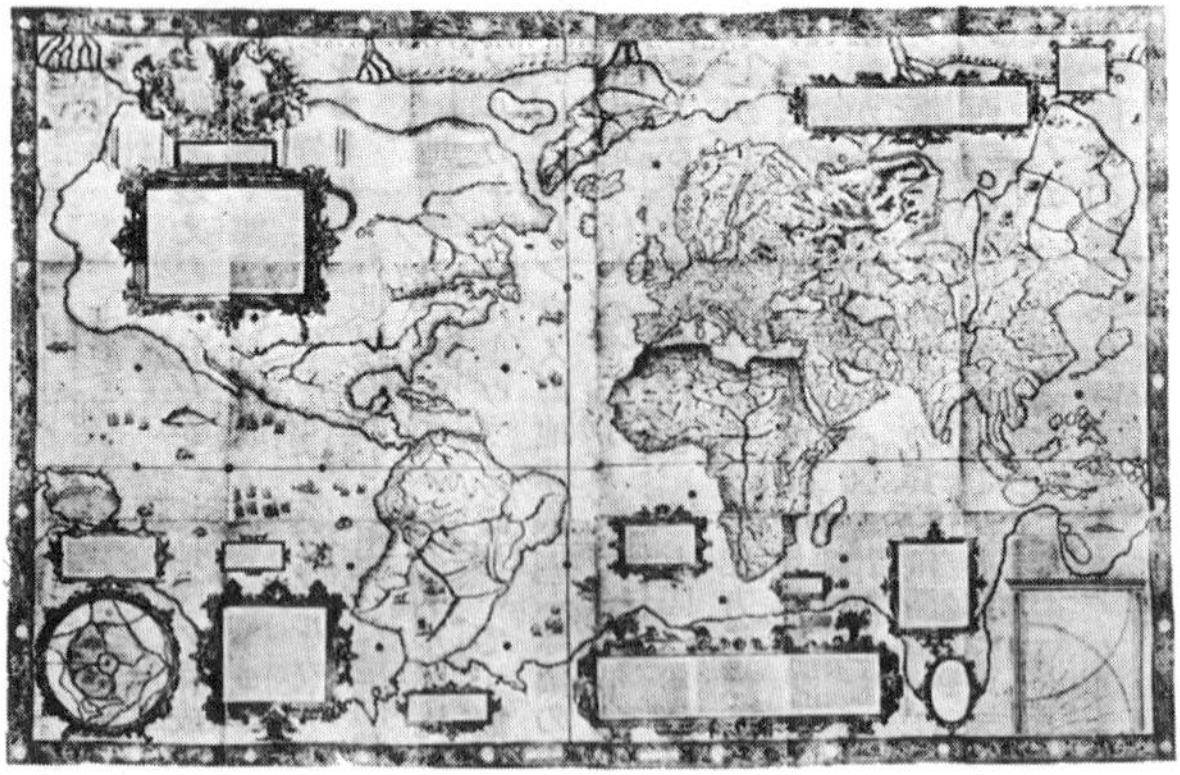

（織田武雄『地図の歴史』講談社　1973）

ダの地図学者ゲラルドゥス・**メルカトル**がいち早く南北アメリカ大陸をアジアとは別の大陸として地図に示します（図９）。一六世紀には北アメリカ、特にその太平洋側は多くが不明でしたから、かれの考えが実証されるには、一七二八年の「ベーリング海峡」の発見を待たなければなりません。しかし、ヨーロッパ人は、こうして一六世紀には、新たな、**球体の大地**と**四大陸からなる世界**を受け入れるようになりました。わたしたちにもなじみが深いメルカトル図法の世界地図は、その誕生時には、ヨーロッパ人の中世以来の地理的世界像を転換させるという大きな役割を果たしたものだったのです。そして、これによって伝統的普遍史もまた、根本のところで一つの変更を余儀なくされました。

「大航海時代」が歴史観の世界観的基礎に与えた変化の第二は、ポルトガル人、スペイン人をはじめヨーロッパ人たちが、行くさきざきで、怪物ではなく人間に出会ったことです。ルネサンスにおいてとは全く異なった意味で、「**人間の発見**」が行われたということです。さきに中世の「化け物世界誌」について述べたところで、一四世紀以後もその世界像が維持されていたといいました。大航海時代の人々がインドはじめアジアなどには怪物たちがいると信じて航海に乗り出したということも、よく知られていることです。しかし、コロンブスは、第一回航海から帰国する船上で書いた報告の手紙に記しています。

〈これらの島々で、私は今日まで、多くの人が考えているような怪物には会ったことがありません。それどころか誰も彼も皆姿良く、その色も、垂れ下げている髪以外は、ギネア〔中略〕の人間のように黒くありません〉(1)

マゼランの世界周航ではかれがフィリピンで戦死し(一五二一年)、帰還を果たしたのも五隻のうちたった一隻でしたが、このとき帰還した船員からの聞き書きをもとに『モルッカ諸島記』(一五二三年)を著したマクシミリアーノ＝トランシルヴァーノも書いています。〈この船で今回帰還したこれらのスペイン人たちが、全世界を一周したにもかかわらず、航行してきた全地域にわたって、そのような怪物然とした人間には一度も出会ったり見たりしたことはなく、いわんやのこと、そのような怪物が存在していることも、またかつて存在していたことも、聞いたことはなかったのである。従ってそれらの怪物について古代人が述べた一切は、偽りであると断ぜざるを得ない(2)〉

もっとも、怪物がどこかにいるはずだという考えは、簡単には消えませんでした。ヨーロッパで発行された図鑑類から怪物が消えるのは、一八世紀になってからなのです。

インディオは真の人間か

他方、「発見」された「人間」について、さっそくヨーロッパで論議が巻き起こりました。それは、新大陸で「発見」されたアメリカのインディオたちが「真の人間」であるか否かといった議論です。これに一つの決着を与えたのが、ローマ教皇パウロ三世でした。かれは一五三七年の教書で次のように宣言したのです。

〈アメリカ・インディアンも私たちと同様、真の人間である。彼らはカトリックの教えを理解できるだけでなく、またそれを受け容れようと熱望している〉(筆者訳)

ローマ教皇が断言したようにインディオが「真の人間」、アダムの子孫であるとしても、なお残された問題をめぐって、一六世紀ヨーロッパで、普遍史の根幹に関わる二つの論戦が引き起こされています。

一つは、インディオが「アダム」の子孫だとしても、**直接の祖先**はだれか、**「新大陸」**

への経路はなにかという問題に関する論戦でした。アジアから渡ったとするものや、ヨーロッパから船で渡ったとするもの、民族的起源についても、カルタゴ人、ギリシア人、あるいはもっとも人気があった、失われた大陸「アトランティス」の生き残りであるとするものなど、さまざまな説が唱えられました。こうした論戦は、スペイン人のホセ・デ・**アコスタ**が、『新大陸自然文化史』（一五九〇年）で**アジア起源説**を唱え、インディオたちの祖先がアジアからさまざまな動物たちとともに渡ったことを入念に論証したことで、一応の結論に達しました。「一応の」といったのは、これが実証されるにはなおアメリカ大陸北部とアジア大陸が近接していることが証明されるまで時間を要したということ、しかしかれ以後はアジアからの渡来説が大勢を占めるようになったことからです。

しかしともあれ、こうしてアジアからの渡来説が定説化したことで、普遍史は生き延びることができました。アジアについてはセムの子孫が広がった場所として説明が与えられてきており、世界の諸民族に関する普遍史の基本的構造を崩さずに済んだからです。

もう一つの論戦は、笑ってはすまされない問題を含んでいます。それは、一五五〇年、スペインで行われた「**バリャドリードの論戦**」です。この論戦では、インディオが真の人間であるとして、いかなる意味で真の人間なのかが公開論争で争われたのです。ヨーロッパ人と全く同様な真の人間と主張したのは、インディオ保護法制定のために闘った、有名なラス・カサスでした。これに反対したのが、セプルベダというアリストテレス学者で、かれはアリストテレスの先天的奴隷論（四三頁）に依拠しながら、かれらを先天的に劣った人間であると主張したのです。このセプルベダの主張は、アメリカ大陸でスペイン人たちが行っているインディオ支配を合理化するという意味も持っていたと考えられます。

近世的な三重構造の世界

インディオをめぐるこうした議論の進行するなかで、「**野蛮人**（**未開人**）」という言葉が次第に大きな意味を持つようになります。元来「野蛮人」という言葉は、宮廷人たちが自らの文明化された状態を誇り、非文明の世界になお生きているとして、自国内の農民など、当時の庶民をさげすんで呼んだ言葉でした。この「野蛮人」という概念が拡大・転用され、ヨーロッパ人対インディオという図式に適用されていくのです。ヨーロッパが文明人の世界であるのに対し、インディオの世界が「野蛮人」の世界として差別化されていくわけです。これは、中世的なキリスト教徒―異教徒―怪物という三重構造の世界を、大航海時代における地球規模での新たな世界に対応して改変したものともいえます。

そこに怪物ではなく人間を発見したヨーロッパ人たちの間で、今度は「**文明対野蛮**」という尺度を持ち込んで、怪物を「野蛮人」に置き換えた、**近世的な三重構造の世界**が産み出されてきたということになります。その後のヨーロッパでは、インディオだけでなくアジア人やアフリカ人の間には、人肉食《カニバリスム》を特徴とする、野蛮な世界が存在するというイメージが広がっていきます。また他方、「文明化」を批判する立場からは、文明化以前の「**幸福な自然人**」という議論も生まれます。それはヨーロッパのさまざまなユートピア思想にインスピレーションを与え、ルソーの「自然人」にも流れ込んでいくことになります。

中世では、キリスト教徒と怪物の世界の間に「異教徒」の世界がおかれていました。この異教徒の世界もまた、変容を迫られることになりました。インディオの世界について盛んに論じられたのは一六世紀でしたが、一七世紀以後、中国とヨーロッパの直接的関係が生まれます。この中国をめぐる議論は、一七世紀以後のヨーロッパではとりわけ深刻な問題となっていきます。というのは、中国は、「文明化」という尺度ではむしろヨーロッパをしのぐかもしれない世界だったからです。この問題がヨーロッパの世界史記述にも大きな影響を与えたことは、すぐ後の第2節で見ていくことにします。

ルネサンス・宗教改革と「時間」の問題

ルネサンスは、古典古代の人間中心の考え方を復活させ、「人文主義」、「自然と人間の発見」をもたらしました。ラテン語、ギリシア語、ヘブライ語などの研究が広く一般（世俗）の人々の間でも行われるようになり、一五世紀半ばの活版印刷術の発明とも結びついて、これまでのカトリック教会による知の独占を打ち破りました。そしてこれらの動きが、この後のヨーロッパでは思想的変化に大きな役割を果たしていきました。ただし、本書のテーマとの関係で重要なのは、宗教改革のほうです。宗教改革を指導したルターの中心的思想は信仰義人説、聖書中心主義、万人司祭主義の言葉で示されますが、このいずれもが、歴史学に大きな影響を与えたからです。

信仰義人説と聖書中心主義は、**聖書の批判的研究**を大きく推進しました。中心となる聖書を定めることが教義上必要だったからです。ところが、印刷術が発明されるまでは、聖書も人の手で書き写されてきました。そしてこの書写の過程で誤記や脱字はもちろん、枠外への書き込みが本文に取り入れられたりといったことまで起こり、その結果、さまざまな異本が生まれてきていました。また聖書（旧約聖書）には、根本となるものとしてヘブライ語聖書、「七十人訳聖書」ともいわれるギリシア語訳聖書、ユダヤ人の一派でサマリア人と呼ばれる人々が伝えているサマリタン版聖書の三種類があるのですが、大筋はともかく、細部ではそれらの間で相違も多かったのです。こうして一口に「聖書」とはいっても、現実にはさまざまな聖書があったわけです。しかし神の言葉が何種類もあったり、ましてや矛盾などがあったりしていいわけはありませんから、こうしたさまざまなヴァージヨンを比較検討しながら、正しい真の聖書を見いだす作業が必要になります。こうして聖書の批判的研究が聖書中心主義を推進力として発展することになったのです(一〇六〜一〇七頁**表3**)。

さらに、万人司祭主義が研究の発展を後押ししました。というのは、万人司祭主義のもとでは、すべてのプロテスタントが聖書を通じて神とつながっている以上、神の言葉を聖書で確かめることは各個人の責任ともなるからです。そこで個人の研究に基づく多くの学説が生まれてきます。しかも当時は印刷術が発明され、意見も広く公表される時代になっています。これらの諸事情が重なって、聖書の批判的研究の結果を多くの学者たちが公開の場に提供し、激しく論争を行う時代ともなりました。

さて、ルターはじめプロテスタントたちは、三種の聖書のうち、**ヘブライ語聖書**を根本と考えました。しかしこのことは、それまで普遍史を支えてきた聖書年代学に直ちに大きな影響を与えることになりました。というのは、アウグスティヌスはじめ古代のキリスト教教父たちやカトリック教会が依拠していたのは**ギリシア語訳聖書**でしたが、それとヘブライ語聖書とでは、年号計算が一二〇〇年から一五〇〇年近くも相違してしまうのです。

これまでは、ローマ教皇が「神の代理人」として、時間の支配者でもありました。しかし、その論理は、もはやプロテスタントには通用しません。こうして同じキリスト教の立

アウグスティヌス（354〜430）『神の国』（413〜426）	ベーダ（673〜735）『時間計算論』（725）	オットー・フォン・フライジング（1111〜1158）『年代記』（1146）	メランヒトン（1497〜1560）『カリオン年代記』（1532）	スレイダヌス（1506〜1556）『四世界帝国論』（1556）	スカリゲル（1540〜1609）『時間修正論』（1583）	ペタヴィウス（1583〜1652）『年代表』（1633）	アッシャー（1581〜1656）『世界年代録』（1650〜1654）	ボシュエ（1627〜1704）『世界史論』（1681）	ペズロン（1639〜1706）『古代復元』（1687）	ガッテラー（1727〜1799） 『普遍史序説』（1771）『世界史試論』（1792）	『世界史』（1785）
0	0	0	0	0	1	1	1	1	1	1	1
2262	1656	*2262	1656	1656	1656	1656	1656	1656	2256	1656	1656
3409	2023	*3409	2023	2024	2024	1782	2083	2083	2513	2022	2084
3839	2493	3786	2453	2454	2454	2453	2513	2513	3943	2453	2699
4318	2973		2933		2933	2972	2992	3000	4816	2973	3178
	3389	4962	3286		3361	3393	3416		5287	3395	3604
	3423		3356		3390	3468	3468	3468	5337	3425	3629
	3469	4992	3425		3430	3484	3487		5351	3464	3670
5349	3952	*5500	3963	3954	3948	3980	4000	4000	5873	3983	4181
ローマ建国を前753年とし、かつイエス生誕を前2年としたと仮定		オットーの年号には混乱があり、ここに挙げた年数は一応の目安として計算（*の年号はオットーが明記）			JP765=AM1=3949BC JP4714 AM3950=AD1	AD1=3984	AD1=4004	AD1=4004	AD1=5873 *	AD1=3984	AD1=4182

表３　世界年代表

	『聖書』						タルムード	ヨセフス（37?～100）『ユダヤ古誌』（93～94）	ヨセ・ベン・ハラフタ（～160）『世界秩序の書』	ユリウス・アフリカヌス（170～240）『年代誌』（212～221）	エウセビオス（263～339）＝ヒエロニムス（331～420）『年代記』
	七十人訳ギリシア語版		ヘブライ語版		サマリタン版						
	一般的写本	コンスタンチノープル版	正典	異本	正典	異本					
天地（アダム）創造	0	0	0	0	0	0	0	0	0	0	0
大　洪　水	2242	2262	1656	1656	1307	1307	1656	2262	1656	2262	2242
アブラハムの召命	3389	3469	2023	2083	2384	2384		3318		3277	3259
出エジプト	3819	3894	2453	2513	2814	2814	2448	3748	2448	3707	3689
第1神殿の造営（ソロモン第4年）	4529	4495	2933	3093	3294	3406	2928	4340	2928	4451	4168
第1神殿の破壊（ゼデキア第11年）	4683	4919	3357	3523	3718	3836	3338	4810	3338		4610
キュロス第1年（捕囚からの解放）	4735		3409	3575	3770			4880		4943	4641
第2神殿再建開始（ダリウス第2年）	4753	4995	3427	3583	3788		3404		3404		4681
イエス生誕	5270	5508	3994	4111	4305	4424	3760 3761 3762	5440		5500	5199
						＊	Adam満1歳＝AM1とした場合。「形なき」時⇒+2 Adam創造⇒+1 F.65頁	イエス生誕を4BCとして計算。但し、X-viii-5によると、イエス生誕が5133となる	ラビ・ヨセ F.64頁	3707＝オーギュゴスの大洪水、18王朝アモス王時代。4727＝Ol.1-1 F.68頁	F.83頁

※ ＊：Allgemeine Welthistorie,1.Theil,1774,S.102f.
　F：フィネガン『聖書年代学』，岩波書店　1967

場に立ち、聖書に基づきながら、人類史についてプロテスタント的時間とカトリック的時間という、二つの「時間」が出現したのです。

第2節　プロテスタント的普遍史の発生と年代学論争

メランヒトンとプロテスタント的普遍史の創造

プロテスタントの立場からの最初の世界史記述となったのは、ルターの片腕となって宗教改革運動を指導したメランヒトン（一四九七～一五六〇）の著作、『カリオン年代記』（一五三二年）です[3]（表4）。

かれの人類史の特徴は、まず第一に、イエス生誕年を創世紀元三九六三年に置いているように、伝統的（＝カトリック的）な時間の枠組みを大きく変えていることです。かれの記述に大枠を与えたのは、ユダヤ教の教典の一つ、タルムードにあるエリアの預言でした。〈この世は六〇〇〇年間存続し、二〇〇〇年間は荒野、二〇〇〇年間は律法、二〇〇〇年間はメシアの時代。そして大きくまた数多いわれわれの罪のために、不足すべき年月がこ

表4　メランヒトンとプロテスタント的普遍史

（『カリオン年代記』1532）

	創世紀元	教会史	世俗史	
第1期	0	**天地創造、アダム**		
	1656	ノアの大洪水	レメクとその子孫；技芸 ニムロデ；諸民族の発生 （ペルシア・バビロニア・アッシリア）	
	1956		ニヌス1世	（ハム）　（ヤペテ）
	2007	ノアの死		〈エジプト〉〈ギリシア〉〈ローマ〉
第2期	2023	**アブラハム召命**	ニヌス2世	ミツライム
	2453	出エジプト	**第1のアッシリア**	ブリシス
		サムソン		アルゴナウテース遠征
		サウル	**①カルデア人の帝国**	プロテウス　トロイ戦争
	2933	ソロモン神殿		
	3064	ウジヤ	サルダナパルス	
		メナヘム	アルバケス（メディア）／プル=ベロクス	
	3184	ヨタム王		第1回オリンピック
	3212	アハズ10年	**第2のアッシリア**	ローマ建国
		ヨシア王		ネコ
	3286	バビロン捕囚	**カルデア** ナブグドノソル大王	
	3356	捕囚から解放	キュロス	
	3425	神殿再建	ダレイオス1世 **②ペルシア帝国**	ペルシア戦争
			アレクサンドロス **③ギリシア人の帝国** アンティオコス4世	
		預言者ダニエル		
第3期	3963	**イエス生誕**	アウグストゥス **④ローマ帝国**	
			アンティクリスト（教皇・トルコ） ⇔	カール大帝 ドイツ人皇帝

れに不足するであろう〉（筆者訳）

メランヒトンは、この預言に従って、アウグスティヌス以来の時代区分も変えました。人類史を創世紀元二〇〇七年と計算されるノアの死、それと三九六三年のイエス生誕によって三区分したのです。これによって伝統的普遍史が示してきたイエス生誕までの人類史について、大幅な**時間の短縮**がおこなわれました。それどころか、「人類史六〇〇〇年」の考え方も短縮されています。第三の二〇〇〇年間については、かれが生きていた一六世紀からはまだ計算上は五〇〇年近く残っているはずですが、「不足すべき年月がこれに不足する」というエリアの預言の通り短縮され繰り上げられるだろうと述べ、「喜ばしき最後の審判の日がもはや遠くない」といっています。ルターも同様に終末が間近だと信じていましたし、当時は一般的にも終末が近いと広く信じられていました。プロテスタントの普遍史も、古来の普遍史同様、というよりとりわけ強く、終末観と結びついていたわけです。

第二の特徴は、**聖書中心主義**を貫いている点です。それがもっともよくわかるのは、第一の世界帝国を「カルデア人の帝国」として、それに第一のアッシリア、第二のアッシリア、カルデアの三つの王国を含ませているところです。

アウグスティヌスはじめ伝統的普遍史では、古代ギリシア、ローマ人の伝えた「アッシリア」のみを、第一の世界帝国と解釈してきました（六四頁表1、八五頁表2）。それは、メランヒトンのいう「第一のアッシリア」にあたります。しかしそのため、かれらはメランヒトンのいう「第二のアッシリア」、「カルデア」を無視してきました。ところが、実は、旧約聖書で記述されているのはこの「第二のアッシリア（今日の古代世界帝国アッシリア）」、「カルデア（今日の新バビロニア）」のほうだったのです。伝統的普遍史はこの点で聖書と矛盾していたのですが、メランヒトンは聖書を重視する立場からこれらを復活させ、これら三つをあわせて「第一の世界帝国」としたわけです。ところが旧約聖書のこの部分はユダヤ人たちの遭遇した歴史的事件だったのですから、その結果、今日から見ても史実に即した正しい歴史記述を与えることになりました。メランヒトンにとっては聖書中心主義を貫いた記述を行うことが課題でしたが、結果として、史実に基づいた、より正確な歴史書になりました。

第三の特徴は、**伝統的普遍史の継承**も行われているということです。歴史を神による人類教育の過程ととらえること、教会史と世俗史の対立関係で歴史過程を見ていること、世俗史では四世界帝国論が柱となっており、第四の世界帝国「ローマ」の帝権が神聖ローマ帝国に引き継がれているとしていること等々、伝統的普遍史をそのまま踏襲しています。

このように、かれの提出したプロテスタント的普遍史は、全体として、ヘブライ語聖書を基礎に、**伝統的普遍史を批判的に継承**したものということができます。しかし、それは古代以来の普遍史と鋭く対決する要素を有しており、以後は伝統的立場を守ろうとするカトリック的普遍史との間で論争が行われていくことになります。

メランヒトンは、プロテスタント的普遍史を創造したことと並んで、歴史学に対しもう一つ大きな貢献をしました。それは、かれの努力によって**大学での歴史講義**が創始され、広がっていったことです。宗教改革の時代にドイツではプロテスタント系大学への改革やその新設が行われましたが、この動きを指導したのはメランヒトンでした。かれは歴史を重視していましたから、新しい大学の哲学部（文芸学部）に歴史学の教授を置くよう指導しました。『カリオン年代記』は、もともと講義用教科書として書いたものです。実際かれ自身も、ヴィッテンベルク大学で歴史を教える際に使用しています。またかれの指導力を反映して、本書はドイツだけでなくヨーロッパ全体でも広く教科書として使用されていきました。歴史学の地位は、かれの場合も、またその後一八世紀まで、まだ宗教に奉仕するための学問でした。しかし、大学で歴史が教えられるようになったことは、大学の歴史のなかでも画期的なことでした。以後ドイツでは歴史学が次第に隆盛に向かい、歴史学の教授を持つ大学も出てきますが、その基礎を作ったのがメランヒトンだったのです。

中国史の問題

メランヒトンの普遍史には、まだ中国史は登場していません。しかし、一七世紀にはいると、中国の歴史がのっぴきならない問題をヨーロッパの歴史学に突きつけていることが、広く明らかになっていきました。そのきっかけとなったのは、マルティノ・**マルティニ**（一六一四〜六一）の『中国古代史』（一六五八年）でした。

一七世紀にはいるとイエズス会の人々が中国に入り、ヨーロッパへ中国に関するさまざまな情報をもたらします。マルティニも自ら中国で宣教活動を行うかたわら、中国の史書を読んで本書を著したのです。かれはそのなかで、**伏羲**《ふくぎ》以後の歴史を疑いない事実として紹介しました。「伏羲」は三皇五帝の最初に置かれる王ですから、つまり三皇五帝から夏、商（＝殷）、周、さらに以後現在まで続く諸王朝を疑いのない事実として認めたのです。一七世紀の当時は清朝の時代でしたが、中国の歴史書によって、この清朝からさかのぼっていくことで、各王朝や皇帝たちの年代が計算できます。かれはその結果、伏羲はイエス前二九五二年に統治を開始したと記したのです。

この年代は、ヘブライ語聖書による年代学では、ノアの大洪水より六〇〇年以上古くなってしまいます。これではノアの大洪水で人類が八名から再出発するとしてきた普遍史と矛盾することになります。いや矛盾どころか、もし中国の史書の記述が間違っていると論証できないなら、普遍史の記述や年代学のほうが間違っていたことにもなります。もちろんかれはこのことに気づいていました。しかし、かれは中国の歴史書の記述を否定することができなかったのです。マルティニだけではありません。当時のヨーロッパの歴史学者たちは、アダムやエヴァの創造、ノアの大洪水などといった聖書の記述を歴史的事実と考えていました。かれらも、高度な水準を有している中国の歴史書を前にして、その記述を否定することができるような根拠を提出することができなかったのです。

こうして大航海時代は、中国史の古さの問題というきわめて重大な問題を、普遍史に対して突きつけることになったのです。アメリカ大陸の先住民たちと違って、中国人の「文明」は、ヨーロッパの「文明」に対して重大な問題を突きつけるだけの力量を持っていたともいえます。そしてこの問題にヨーロッパ人は、一八世紀に至るまで、頭を悩まし続けることになります。

年代学論争

プロテスタント的普遍史の登場をきっかけとしてプロテスタント的時間とカトリック的時間との対立が始まったこと、さらにこれに大航海時代がもたらした地理的世界観の変化や新たにヨーロッパ人の前に現れた諸民族の歴史、とりわけ中国史の古さの問題などがからんで、普遍史は危機の時代を迎えることになりました。

この危機に対し、プロテスタント陣営もカトリック陣営も、相互に対立しあいながらもともに普遍史を守ろうと努めます。その努力を担ったのが年代学でした。年代学者たちは、大航海時代を通じて広がった世界の諸民族の歴史を、かれらの信ずる普遍史の枠内におさめ直すことを目指しました。しかしかれらの研究は、一致した結論に至ることはありませんでした。一六世紀から一八世紀にかけて行われた諸研究によってつぎつぎに新しい学説が登場し、相互の批判・論争も高まっていきます。そしてその結果、ますます混乱と危機が深まっていくのです。その代表的年代学のみを表に集めてみました（一〇六～一〇七頁**表3**）。以下は表を見ながら、「年代学論争」の過程を簡単に見ておきましょう。

最初はプロテスタント側が優勢でした。メランヒトン、スレイダヌスという宗教改革時の優れた学者たちがプロテスタント的普遍史を提示し、続いて、フランスのユグノーで、のちにオランダのライデン大学で活動した**スカリゲル**が、天文学なども利用する**近代的年代学**を打ち立てます。かれらはいずれもヘブライ語聖書によって年代決定を行いました。もっとも、その計算結果は、必ずしも一致しませんでした。

カトリック側を代表するのがフランスのイエズス会士**ペタヴィウス**ですが、かれもヘブライ語聖書による年代計算と、スカリゲルの天文学を利用した方法とを踏襲せざるを得ませんでした。またかれは、初めて「**イエス前**（BC）」という年号を体系的に使用した学者としても、重要な位置を占めています。ただし、この「イエス前」を含むイエス紀元の年号は、まだあくまで創世紀元による年号の補助でしかありませんでした。

アッシャーはイギリスのピューリタン（長老派）で、かれの年代学はイギリス国教会でも公認されていました。それだけではなく、フランスのカトリック教会の最高指導者であった**ボシュエ**も、ほとんどこれと同一の年号を採用しています。ボシュエは、年代学の混乱を憂え、意識的にアッシャーにあわせたのです。この結果、一七世紀から一八世紀にかけては、この、イエス紀元の出発点を天地創造後四〇〇四年におく、**アッシャー・ボシュエの年代学がヨーロッパで最も広く認められた年代学**として使用されていました。

しかし他方、一七世紀から一八世紀は、先程述べた中国史の問題が次第に大きくなった時代です。そのなかでフランスのシトー派の学者**ペズロン**は、これまでカトリック側もヘブライ語聖書による年代学を承認してきていた流れをひっくり返し、古代・中世以来のギリシア語訳聖書による年代学を、改めて提案します。というのは、かれによれば、ギリシア語訳聖書による年代学ではノアの大洪水はイエス前三六一七年と計算されますが、この数値は、中国の伏羲を前二九五二年とするマルティニの説を正しいとしても、なお余裕のある数ということになるからです。つまりヘブライ語聖書ではなくギリシア語訳聖書による年代学を採用すれば、中国史の古さの問題は聖書と矛盾しなくなるというわけです。しかし、もしそうだとしても、中国史の古さの問題が解決できるかどうかが、どの聖書を年代学の基本とするかの判断に一役買うというのでは、それは本末転倒ではないでしょうか。しかし別の見方をすれば、こうした本末転倒が起こったのは、中国史の古さの問題がそれほどに大きなインパクトを与えていたからだと考えることができるわけです。

このような議論は、一八世紀いっぱいまで続きます。しかし、次章で述べるように、一八世紀は「啓蒙主義の世紀」とも呼ばれます。普遍史は、啓蒙主義の影響力が拡大するにつれてその影響力を失っていきます。こうしたなか、**生涯創世紀元による年号にこだわった最後の歴史家**が、ゲッティンゲン大学の歴史学教授**ガッテラー**でした。彼が永眠するのは一七九九年ですが、この年はすでにフランス革命が起こって一〇年目、ナポレオンがクーデターで政権を奪取して統領政府を樹立した年にあたります。かれが「最後」であるということは、一九世紀にはいると、もはや創世紀元が使用されなくなるということであり、さらに、普遍史もまた姿を消すということも意味しています。

第3章　註

1　林屋永吉訳「クリストーバル・コロンの四回の航海」（『大航海時代叢書』第一期第一巻　岩波書

店　一九六五所収）、六九頁以下。

2　増田義郎『新世界のユートピア』研究社叢書　一九七一、四一頁以下。

3　『カリオン年代記』は訳本が存在しない。詳しくは、拙著『キリスト教的世界史から科学的世界史へ』勁草書房　二〇〇〇、を参照されたい。

第4章　啓蒙主義の時代——文化史的世界史の形成と普遍史の崩壊

ニュートン

ガッテラー

シュレーツァー

第1節　歴史観の世界観的基礎――「科学革命」による諸変化

啓蒙思想を成立させた要因については、イギリスで市民革命が行われ、市民たちの思想が主張されるようになったこと、大航海時代を通じてヨーロッパ人の前に現れた地球大の世界を統一的に理解するために新たな考え方が求められたことなどのほか、本書のテーマとの関係で重要な要因として、一七世紀のヨーロッパで遂行された「科学革命」を挙げることができます。試みに、科学史上の諸事件を年号順にいくつか挙げてみましょう。

一六〇九　ケプラー（独）、「惑星の法則」の発見
　　　　ガリレオ（伊）、天体望遠鏡発明
　　　　　↓　『天文対話』（一六三二年）、『新科学対話』（一六三八年）
一六一六　ハーヴェイ（英）、血液循環についての講義
一六三七　デカルト（仏）、『方法序説』、『幾何学』
一六四〇　レーウェンフック（蘭）、顕微鏡発明
　　　　　↓　ロバート・フック（英）、細胞の発見（一六六五年）

一六四七　パスカル（仏）、「真空についての新実験」→『パンセ』（一六六九年）
一六七五　ライプニッツ（独）、微積分学完成
一六八七　ニュートン（英）、『プリンキピア』

このように一七世紀はケプラーとガリレオで幕が開き、ニュートンが締めくくった世紀で、数学、自然科学を中心に偉大な成果を生んだ時代でした。こうしたことから一七世紀は「科学革命の世紀」と呼ばれるようになりましたが、啓蒙主義者たちは、これらの業績への高い評価はもとより、こうした成果を生み出した人間の能力＝「理性」に対して全幅の信頼を寄せ、自然だけでなく、人間や社会を理性に照らして吟味するようになった人々でした。その結果は、歴史学を支える世界観的基礎にも大きな変動をもたらしました。

「世界」観と人間観の変化

ニュートン物理学は、ヨーロッパ人の宇宙や世界についての考え方を根本から変えるものとなりました。それは天動説に基づく宇宙観から、**力学的宇宙観**への転換をもたらしました。大地は球体をなし、この地球自身は太陽系の一惑星にすぎないということになりました。そして宇宙全体はこの太陽系が属する銀河系をはじめとした無数の銀河が集まって構成され、諸天体はすべて力学的法則に従って運動しているのです。

人間観も、**「神の似姿」**から**「自然の体系の一員」**へと転換しました。一七五八年、カール・フォン・リンネの『自然の体系』第一〇版が出版されています。本書は生物の種の命名法とともに今日まで続く分類学の出発点となったものですが、そこで、かれは人間を哺乳動物綱（Mammalia）のうちの霊長目（Primates）に所属させています。そしてホモ属のサピエンス種（*Homo sapiens*）と位置づけ、「自分自身を知るもの」と定義したのでした。これまでの、天地創造第六日に神の姿をかたどって創造され、宇宙の中心である不動の大地で、支配者として特別な地位を与えられた存在だった人間は、理性の所有者ではあるにしても、いまや広大な宇宙のなかの小さな一惑星の住人にすぎず、地球に住むさまざまな生き物が織りなす自然の体系の一員にすぎなくなりました。

時間の観念の変化

ニュートン物理学は、「時間」の観念も大きく変えました。かれは『プリンキピア』で、かれの物理学の前提としての時間を**「絶対的時間」**と呼び、次のように定義しています。〈絶対的で、真の、数学的時間は、ひとりでに、そのものの本性からして、外界の何ものとも関係なく均一にながれるもの〉（注解I、河辺六男訳、中央公論社）

もっともニュートン自身は、人類史については、聖書の預言書の研究をおこない、また

啓蒙主義時代の概要

ヨーロッパの18世紀は、「啓蒙主義の世紀」とも呼ばれている。啓蒙主義は17世紀後半以降、イギリスのジョン・ロックやヒュームらから始まった思想。これがフランスに渡ってヴォルテール、モンテスキュー、ダランベールとディドロによる『百科全書』派などによって発展し、全ヨーロッパに広がった。ドイツでは初期のカント、歴史学では「ゲッティンゲン学派」がその代表である。

啓蒙主義者たちは、一方で「大航海時代」を通じて現れた地球大の世界を眼前にしながら、17世紀の「科学革命」で巨大な成果を上げた人間の「理性」に信頼を置いて合理主義的な世界観を打ち立てていく。そしてカトリック教会にひそむ「非合理性」や、伝統的な社会制度を批判していくが、普遍史に対する批判もその一環であった。

啓蒙思想は歴史学にも大きな影響を与え、歴史観や歴史記述に根本的な変革をもたらす。「近世的な三重構造の世界」、「科学革命」で登場したニュートンの無限に均等に流れる「絶対的時間」、さらに自らの基本的歴史観である「進歩史観」を基礎として、世俗的な新たな「文化史的世界史」を成立させるのである。それは、近世初期からのキリスト教年代学の危機、中国史の古さやその歴史的位置づけの問題などにも、普遍史とはまったく別の角度から「解決」を与えた世界史でもあった。

他方、古代以来の普遍史は、「キリスト紀元」と「三区分法」という遺産を残して、ついに姿を消していく。

「文化史的世界史」は、しかし、「進歩」を「知識・情報の量的拡大」と置き換えたこと、「オリエンタリズム」の出発点となったことなどの問題点を有していた。

18世紀は時代区分では「近世」に入るが、西欧の世界史記述の歴史では、このように、一つの独自の時代となっている。

『改訂古代王国年代学』（一七二八年）などを通じて、プロテスタント的普遍史を記していました。またかれは、人類史が六〇〇〇年間しかないことも信じていました。かれの計算では二〇一五年に人類史の終末が訪れるということになっています。[1]

ニュートン物理学がヨーロッパで勝利を占めていくのは一八世紀ですが、こうして一八世紀に至ると、まず物理学の世界から、ヨーロッパでは時間の観念が大きく転換していきます。つまり、これまでのベクトル的時間にかわって、始点も終点もなく、過去へも未来へも無限にのびる、直線のイメージで表現できる時間へと転換したわけです。

ニュートン的時間は、一八世紀中に、物理学上の前提から現実の自然史の時間を計る物差しとなっていきます。一八世紀末は博物学（Natural History）が自然史（History of Nature）に転換したとされますが、その転換を先導したビュフォンに『自然の諸時期』（一七七八年）という著作があります。[2] そこでは、太陽系の他の惑星と同時に誕生してから現状に至るまでの地球の歴史が、聖書の六日間での世界の完成という記述にも注意を払いながら、七期に区分して記述されています（表5）。地球の誕生に先立つ「物質の創造」と「光と闇の分離」については年代を与えていませんが、地球の誕生は七万五〇〇〇年前、人類の誕生は六〇〇〇〜八〇〇〇年前としています。地球誕生の年号は、巨大な火の玉であった地球が現状のように冷却するまでの時間を、自ら行った実験をもとにして算出した

表5　ビュフォンの地球史

?	（前期）	物質の創造		
?	（前期）	光と闇の分離		第1日
0	第1期	地球と惑星の形成・白熱時代		第2日
2936	第2期	ガラス質物質の形成 大山脈の形成 水が定着を開始		第2日
3.5万	第3期	海生生物・陸生植物誕生 生物性物質・石灰質物質	↑全世界的な海（1.5万～2万年間）↓	第3～5日
5万	第4期	鉱物物質←火山活動 大地表面が造成される	↑全世界的な海（1.5万～2万年間）↓	第3～5日
6万	第5期	陸上動物誕生		第6日
6.5万	第6期	大陸の分離		第6日
6.7万	第7期	人類の誕生		第6日
7.5万		生物の死滅		
16.8万				

のです。しかし、実は、内々一〇〇〇万年とも計算しています。一〇〇〇万年としても、四六億年ともいわれる今日からいえば、あまりにもささやかな数値です。

他方、かれは人類の誕生を六〇〇〇〜八〇〇〇年前としています。当時は、イエス紀元＝創世紀元四〇〇四年とするアッシャー・ボシュエの年代学が広く受け入れられていました。人類史六〇〇〇年の固定観念も、人々の間に強固に残存していました。これを超える数値は異端的考え方だっただけでなく、あまりにも常識とかけ離れた長大な「時間」だったのです。かれは教会からの脅しには屈しませんでした。しかし一般人を重視し、かれらの理解を得る戦術として、人類の誕生は聖書の記述にあわせ、地球の年齢のほうも、一〇〇〇万年ではなく七万五〇〇〇年のほうを採用したのだろうと、わたしは考えています。

ともあれ、このように自然史は、ニュートン的時間が地球や宇宙に実際に流れているものとし、さらに、それを通じてわたしたちの日常生活にも流れていることを主張します。しかもそれは、伝統的な「ベクトル的時間」をはるかに超えた長大な「時間」を持ち込むものだったのです。啓蒙主義者たちは科学革命の落とし子ですから、当然、この自然史の側に立つ人々でもありました。かれらはこうした立場からも普遍史を鋭く批判し、また、普遍史とは全く異なった「時間」のもとで過去を観察するようになります。

進歩の観念

科学革命の結果として、最後に、一八世紀特有の楽観的な「進歩の観念」が生まれました。科学革命と「進歩の観念」との関係を示す一例として、「**新旧論争**」、あるいは「近代派と古代派の論争」と呼ばれている論争があります。

論争の発端となったのは、一六八七年、文学者シャルル・ペローがルイ一四世の病気快癒を祝うアカデミーの席上で読み上げた、一編の詩でした。かれはのちに「森の眠り姫」、「赤頭巾」などが収録されているフランスの民話集、『昔の物語』（一六九七年）を編んだ人ですが、このとき、ルイ一四世を賛美した詩「ルイ大王の世紀」を発表したのです。問題になったのは、その賛美の仕方でした。アウグストゥスの時代はウェルギリウス、オウィディウス、ホラティウスなどが活躍したラテン文学の黄金時代、他方ルイ一四世の時代はラ・フォンテーヌ、ラシーヌはじめフランスの「古典主義文学」全盛の時代でした。ペローは両時代を比較し、ルイ一四世の時代のほうが優れているとして賛美したのです。

ところが、当の褒め称えられた古典主義文学者たちが怒り出し、アカデミーで論争が始まります。議論はサロンを通じて広く伝えられ、フランスの世論を二分する論争となりました。論戦でもっとも活躍したのは、「サロンの哲人」とも呼ばれたフォントネルでした。かれは一七世紀の科学革命の成果を広く伝えながら、それを根拠に、近代を高く評価する論陣を張ったのです。結果は、一八世紀に入り、近代派の圧倒的勝利で終わります。

この論争は、ヨーロッパ人の**歴史意識の転換点**となりました。ルネサンス以来、人々は古代のほうを高く評価してきました。「古典主義者」たちも、ギリシア、ローマの文学を「古典」＝手本として、自己の文学を高めようと考える人々でした。こうした考え方は、歴史意識としては退歩主義ということができます。「新旧論争」が果たした役割は、論争を通じてこの退歩主義を否定し、近代を古代より高度な文明を有する時代とし、古代から近代に至る歩みを進歩の過程とする考え方を通念化することにあったといえます。そしてこのような意識の変革に貢献したものこそ、「科学革命」にほかならなかったのです。

第2節　啓蒙主義的歴史学・世界史像の特質

1――啓蒙主義的世界史＝文化史的世界史

進歩史観

啓蒙主義的歴史のもっとも大きな特徴は、「進歩史観」という言葉で表すことができます。啓蒙主義は、この進歩史観に基づき、伝統的普遍史に代わる新たな世界史を提出しました。ここでは**コンドルセ**の『人間精神進歩史』（一七九三〜九四年）をその代表として、啓蒙主義的世界史の特徴を見ていくことにしたいと思います。

コンドルセ（一七四三〜九四）はフランス革命期を代表する啓蒙思想家・革命家で、立法議会の議員として活動しました。ルイ一六世の処刑に反対したためジャコバン派ににらまれ、「恐怖政治」が始まった一七九三年、逮捕状が出されてしまいます。そこでかれはパリに身を潜めますが、その期間中に本書を書いたのです。本書は未完ですが、それは翌年についに逮捕され、翌朝牢獄で死体となって発見されたという事情によっています。

本書の序論で、かれは進歩史観を高らかにうたいあげています。

〈わたくしが企図した著作の（中略）結果は、自然は人間能力の完成に対して何らの限界をも示さなかったこと、人間の完成は真に無限であること、この完成への進歩は、これを停止しようとするすべての権力とは爾来《じらい》全く関係なしに、自然がわれわれを生んだ地球が存続する限りは限界を有せざることなどを、推理と事実とをもって示すことであろう。もちろんこれらの進歩の速度は早いこともあり、さほど早くないこともあるであろう。けれどもこれらの進歩は決して逆行しないであろう〉（渡辺誠訳『人間精神進歩史（第一部）』岩波文庫、

一部常用漢字に置き換えた）

コンドルセは、「自然がわれわれを生んだ地球」といっています。かれは、普遍史が人類史の最初に置いた創造の神秘を否定しています。聖書に基づく、神によるアダム創造そのものを否定しているのです。このように啓蒙主義的歴史は、そもそも根本的出発点である人間規定そのものから、普遍史と対立しているわけです。そして人間には独自の「人間能力」があるといいますが、それは精神活動を行う能力ということ、理性を持つということです。ただし人間は、ここでは、もはや神との関係から解き放たれた「理性的存在」となっており、**自然の体系の一員としての人間**という地位を与えられているのです。

コンドルセはまた、この人間精神の進歩は「個体における能力の発達のうちに観察せられたものと同じ普遍的法則に従っている」と述べています。かれは、歴史は「個体における能力」同様に普遍的法則に従って進歩すると考えており、ここから啓蒙主義的歴史は、**人間精神**（＝**人間理性**）**の法則的な進歩**を記述するものだということになります。これを普遍史と比較すれば、両者はともに歴史に「進歩」を見ますが、普遍史では「進歩」やその方向を与えるのは神なのに対し、ここでは、進歩をもたらすのは自然が生み出した人間に固有の能力＝理性です。この意味で、それは普遍史的「進歩」の「世俗化」ともいわれます。他方、自然科学が対象とする自然も普遍的法則に基づいて運動するのですが、歴史は、人間理性が本来的に持っている普遍的法則に基づいて進歩するのです。

啓蒙主義的進歩史観は、このように一方で普遍史と対立し、他方では「科学革命」の「法則」についての考え方を取り入れています。歴史には法則があるという考え方は近代以後の歴史学でも共通の考え方となっていきますが、こうした考え方は、啓蒙主義的歴史が自然科学の考え方を歴史に取り込んで出発させた、新しい歴史観であったといえます。

また、人間の完成に関して「無限」という言葉が使用されています。別の場所でも、歴史は「無限の世紀に亘って人類が絶えず革新せられながら受け来たった変化」を記述するものだともいっています。このように、啓蒙主義的進歩史観の背後には、ニュートン的な、**無限の直線的時間**が控えているのです。しかもこの時間は、未来に対してはもちろん、過去に対しても「無限」に延長されています。さらに重要なことは、このような「時間」のもとでは、普遍史が歴史の始まりに置いた**創造の奇蹟も、また終末も排除**されるのです。

文化史的世界史

それでは、コンドルセは、いかなる内容の世界史を記述したのでしょうか。以下に本書の目次を紹介し、章の内容に関する簡単なわたしのコメントをつけました。

第一期　人間は集って群団を作る

第二期　遊牧民族――この状態から農耕民族の状態への推移
第三期　アルファベット文字の発明に至るまでの農耕民族の進歩
(専制君主政の発生。アジアはこの段階で進歩が止まる)
(奴隷制の発生、展開)
(文字の発生 → 知識の独占、知識の専制君主への奉仕)
第四期　ギリシャにおける人間精神の進歩、アレキサンドロス治世の頃の学問の分化の時代まで
(前四世紀までのギリシア古典文化)
第五期　学問の進歩、その分化から衰退まで　(ヘレニズム文化～ローマ文化)
第六期　知識の衰退、十字軍時代頃のその復興まで
第七期　西欧諸国の学問復興時代におけるその最初の進歩から印刷術の発明まで
(一一、一二世紀の大学の発生～一四四七年、活版印刷術の発明)
第八期　印刷術の発明から科学および哲学が権威の桎梏《しっこく》から解放された時代まで
第九期　デカルトからフランス共和国の建設まで
第一〇期　人間精神の未来の進歩
本書の表題だけでなくこの時代区分からも、かれの記述内容の特徴がよく見えると思います。時代区分の指標となっているのは、すべて文化史上の事件・人名などです。ヨーロ

ッパでは、文化史という分野はそれまでありませんでした。これを初めて提出したのは啓蒙主義だったのです。また今日盛んな文化史研究は、観点は異なりますが、啓蒙主義的歴史の後継者ということにもなります。しかしそれは、必然的な結果でもあります。古代では政治史が記述されたのはそれが「政治的人間」のための歴史だったからですが、啓蒙主義はキリスト教的人間観を否定し、自然の体系の一員である「理性的動物」としての人間のために歴史を記述しようとしました。そこから、それは、他の動物と異なる人間の特質である精神活動＝文化とその進歩とを記述の柱としないわけにはいかなかったのです。

それと同時に、最後に、それは**「近世的な三重構造の世界」に対応する、新たなタイプの世界史記述**となっています。まず第一期、人類の初期では、「進歩」の過程のなかで「未開人（＝野蛮人）」の精神活動などが位置づけられています。また第三期までは、アジアの精神活動の発展も組み入れられて記述されています。アジアがこの段階で停滞してしまうとしている問題は後にもう一度議論しますが、ともかくこうして中国を含むアジアも「進歩」の過程のなかで位置づけが与えられています。「世界」は進歩を実現したヨーロッパ、停滞しているアジア、それに未開・野蛮なアジア周辺部やアフリカ、アメリカ大陸の三つの地域に分けられ、それら各地域が一〇段階の時代区分のなかに位置づけられているわけです。そしてその結果、地球規模での人類の歴史＝世界史が記述されているのです。

啓蒙主義的歴史は大航海時代にヨーロッパ人の前に現れてきた地球大の「世界」を前提としており、こうした「世界」における人類全体の歴史を「進歩史観」に基づいて包括的に記述した世界史でもあったわけです。それは普遍史を否定し、普遍史とは全く異なった視点、文化史の視点から記述された、世俗的な**文化史的世界史**であったのです。

2――普遍史の崩壊と啓蒙主義的歴史学

一八世紀には啓蒙主義が広がるにつれて普遍史の影響力が薄れていき、ついに世紀末までには、古代以来一五〇〇年近くもの命脈を保ってきた普遍史が消滅します。しかし、普遍史を構成した要素で、意味を変えて新たな歴史学に継承されるものもあります。ここではまずその崩壊の原因を、次にそれが残した遺産を見ていくことにします。

聖書は人間が書き記した書物

普遍史崩壊の原因には、もちろん啓蒙主義による批判が挙げられます。しかし、普遍史を支えてきた諸要素が自己崩壊を遂げたことも原因となっています。この「自己崩壊」をもたらしたのは、聖書の位置そのものの大きな変化でした。聖書はこれまで、その一字一句すべてが神の言葉をそのまま書き記した書物と受け取られてきました。普遍史も、この考え方から聖書を直接的基盤として年号を計算したり、またアダム、エヴァから始まる具体的記述を行ってきました。しかし一八世紀になると、この大前提自体が崩れるのです。

大前提を崩したのは、皮肉にも、**聖書の批判的研究の進展**でした。一七五三年、フランスの医師ジャン・アストリュックが画期的発見を行いました。古来の議論に、例えば創世記の六日間での天地創造のあとにもう一度アダムの創造が語られるなど、同一内容が繰り返されているといういわゆるダブレットの問題がありました。ところが、六日間の創造の部分の「神」はエローヒーム、アダム創造の部分ではヤハーウェと呼ばれています。アストリュックは、ダブレットはもともと、神をそれぞれの名で呼ぶ別の人間集団が書き記した別々の文書だと考えました。そして創世記でヤハーウェを使用している部分、エローヒームを使用している部分をそれぞれ別個につなぎ合わせると、同じ内容の二編の文書ができることを発見したのです。創世記は、複数の人間集団が残した文書を編集したものだったのです。

この発見は急速にヨーロッパに広がります。旧約聖書冒頭の五つの文書は「モーセ五書」と呼ばれ、旧約聖書の中心に置かれてきました。ところが「モーセ五書」は、この結果、モーセが神の言葉を直接書き記したのではなく、はるか後の時代の複数の人間集団が書き残した、**歴史的文書**と考えられるようになりました。そこで以後の聖書研究は、聖書が神の言葉を伝えているにしても、直接にではなく、過去の特定の人間集団の言葉を通じて間接的に伝えているものであることを前提に、こうした人間集団とかれらをめぐる歴史的状況も探求しながら神の真の意図を汲み直そうとする、**聖書の歴史的研究**に移ります。

この発見は、聖書の記述に忠実に従ってきた**普遍史の根本前提を破壊**してしまいました。創世記第五章のアダムの系図にある父祖たちの年齢などの記述についても、この部分は、神をエローヒームと呼ぶ人々が書き残した歴史的文書にすぎないということになりました。聖書のこの場所を根拠に年数計算を行ってきた聖書年代学もまた、絶対的根拠を失ってしまったのです。楽園やノアの大洪水などの記述も、ある時代の人間集団の信じた「神話」にすぎないということにもなってきます。このようなことから一八世紀には**年代学論争が終焉**を迎え、普遍史は、土台も支柱も失って崩壊を遂げたのです。

普遍史の遺産①　キリスト紀元

普遍史は、しかし、今日のわたしたちも使用しているキリスト紀元を遺産として残しました。啓蒙主義が当時のキリスト教会と鋭く対立していたことを考えれば、キリスト紀元が残されたということには、何か不思議な気がしないでもありません。

しかし、これには一つの事情がありました。それは、啓蒙主義者たちが、**年号表記の問題**に直面したということです。キリスト教の否定を徹底すれば、創世紀元による年号はおろか、当然、キリスト紀元による年号も否定することに至るはずです。しかしそれでは何を基準に、どのように年号を算定すればよいのでしょうか。この問題をもっとも顕著に示してくれているのが、コンドルセの例です。かれの『人間精神進歩史』には、実は年号が一度も登場しないのです。かろうじて、「十六世紀」など、数字を伴った形で「世紀」が使用されている例が八回あるだけです。しかし、これで歴史書といえるのでしょうか。

もしキリスト紀元に代わる年号を考えるとすれば、「現在」を起点に算定するという方法が考えられます。実際、その試みは行われました。フランス革命期の「共和暦(革命暦)」の使用がそれです。革命政府は一七九三年に共和暦の実施を決定しますが、このことには、時間を支配するのがもはやキリスト教会ではなく「市民」または「国民国家」であることを示すという意味がありました。この革命暦はグレゴリウス暦の一七九二年九月二二日を第一年元日とする暦で、一八〇五年まで使用されましたが、しかし、コンドルセは、この暦を使用はしませんでした。この暦を使用したのは、他ならぬ、かれを逮捕しようとしているジャコバン派でした。かれは、こうして結局、使用できる年号を見いだすことができなかったのだろうと考えられます。

この問題に打開の道を開いたのは、ドイツの啓蒙主義的歴史学者たちでした。ドイツの歴史学研究の歴史で一つの画期となったのは、一七三七年に設立されたゲッティンゲン大学でした。ここで、一七六六年、ドイツの大学では初めて「歴史学研究室」が設置され、アカデミズムの世界で歴史学が独立した学問として認知されます。メランヒトンのまいた種（一一二頁）が実を結んだともいえます。そしてここで**「ゲッティンゲン学派」**と呼ばれる、ガッテラー、シュレーツァー、ヘーレンなどの優れた歴史学者が次々と現れ、ゲッティンゲン大学はドイツの歴史学界で一時期指導的地位を占めていきます。[3]

ゲッティンゲン学派を開いたのが、前にも述べたガッテラーでした（一一七頁）。かれは生涯前半では「普遍史」という表題を持つ著作を発表しますが、後半にはいると「世界史」と表題を変え、内容も中国やアジアも含めた文化史的世界史の記述へと転換します。**普遍史**（Universalhistory）**から世界史**（World History）**への転換**を自ら遂行したのです。ただし、かれは生涯普遍史的な年号（創世紀元）を捨てることができませんでした。そのために生涯にわたって大変な苦労をし、使用する年号体系を三度も変えています。

しかし次の**シュレーツァー**は、明確に創世紀元を放棄します。かれ自身も、ガッテラー同様に最初は「普遍史」から出発し、途中から「世界史」に転換しました。その転換後に著した『世界史』（一七八五年）で、使用する年号について、次のように宣言します。
〈私は、キリスト生誕から遡《さかのぼ》ってキュロスまで数えることにする。（中略）記憶力にとってこれは極めて大きな利益となる。だがもっと大きなことは、これによってヘブライ人とギリシア人の年号計算の相違の問題が避けられることであり、さらに、ほとんど全ての教科書が食い違い、その結果全く異なった年号を与えることになっている、あの、天地創造から行う笑止で不正確な算定も、完全に廃棄することができるということである〉（筆者訳）

　かれはここで創世紀元を「笑止」なものと述べて「完全に廃棄する」と宣言し、かわって、ペルシアの大王キュロスまで「イエス前」の年号で記すとしています。「イエス前」の年号はペタヴィウスが使用を始めていましたが、それはあくまで創世紀元の補助としてでした（一一六頁）。それに対しシュレーツァーは、創世紀元の年号を廃止すると同時に**イエス紀元の自立**をはかり、年号はイエス紀元のみで記すことにしたのです。

　他方、かれはこの『世界史』で自然史の記述を取り入れていますが、惑星の一員として地球が誕生したのは七万五〇〇〇年前、人類が誕生したのは六〇〇〇年前としています。ビュフォンの自然史記述を受け入れているのです。つまり、かれがイエス紀元のみで年号を記すとする態度決定を行った背後には、ビュフォンの自然史における「時間」が潜んでいることになります。かれが創世紀元の年号を否定したのは、歴史のなかに流れている時間を普遍史的なベクトル的時間ではなく、ニュートン的時間だと考えたからなのです。そして、この**ニュートン的時間の歴史への導入**にともない、ニュートン的時間の表記の道具として、イエス紀元を利用することにしたのです。

わたしたちはシュレーツァーが始めた新たな使用法のもとで、現在もイエス紀元の年号を使用しています。この場合注意しておきたいのは、この新たなイエス紀元による年号はもはや普遍史的・キリスト教的意味を失った、**中性的・数学的年号**だということです。それが表す時間がニュートン的時間であり、未来に向かっても過去に向かっても、無限に延長できる時間だからです。普遍史では、例えばイエス前九〇〇〇年という年号は、あり得ない年号でした。天地創造以前には「時間」そのものが存在しないからです。しかし現在のわたしたちはこうした年号を平気で使用しますし、使用にあたっていちいち自らがキリスト教徒であるかどうかなど顧みることもありません。これは「慣れ」とか「習慣」によるというよりは、年号自体が中性的・数学的意味しか有していないからなのです。

普遍史の遺産② 三区分法

今日、歴史書のほとんどには、古代、中世、近代という時代名が使用されています。この区分の仕方を三区分法と呼びますが、これも普遍史の遺産の一つです。

三区分法が発案されたのは、一七世紀の末でした。ハレ大学の歴史学教授**ケラー**が大学の教科書として書いた歴史書の表題として、歴史学の世界に初めて登場したのです。

『古代史（Historia antiqua）』一六八五年

『中世史（Historia medii aevi）』一六八八年

コンスタンティヌス帝の遷都（三三〇年）～東ローマ帝国滅亡（一四五三年）

『近代史（Historia nova）』一六九六年

かれはこれ以前にも歴史教科書を著していますが、それはプロテスタント的普遍史の部類に入ります。また本書も、内容からいえば基本的に普遍史と変わりありません。大きく変わったのは、その枠組みだけです。かれが伝統的な枠組みを変えた原因については、三種類の三区分法がすでに他の分野で行われていたことが挙げられています。というのは、ルネサンス以来の人文主義者には古代―中間の時代―近代、プロテスタントには原始教会の時代―中間のカトリック教皇たちの時代―プロテスタントの時代、また歴史研究者にはラテン語史料の時代―中間期のラテン語・俗語史料の時代―ルネサンス以後の史料の時代といった三区分の考え方があり、これらの各分野で、一七世紀には広く古代・中世・近代という言葉も使用されていました。つまり、ケラーの功績は、古代・中世・近代という名称の発明ではなく、こうした**三区分法の歴史記述**（＝**普遍史**）**への導入**だったのです。

かれがこれを取り入れる際に基本となったのは、四世界帝国論でした。というのは、かれの「中世」は第四の世界帝国「ローマ」の歴史のうち、コンスタンティノープルに首都があった時代＝コンスタンティヌス帝の遷都から東ローマ帝国の滅亡までです。しかもこの年号は、いま挙げた三種類の三区分の各時代を分ける年代とも大きな相違がありません。さらに付け加えれば大航海時代の始まりも「近代」の始まりに一致し、地球規模での世界史の記述にも対応できます。つまり三区分法は、人文主義、宗教改革、歴史学の発展や大航海時代における「世界」の変化などを踏まえ、それに対応する、**プロテスタント的普遍史の改変**という形で、歴史の時代区分として登場してきたといえるのです。

三区分法はまずドイツに広まりますが、これに**真の世界史的内容を与えたのは啓蒙主義的歴史学者**たちでした。シュレーツァーの『世界史』の構成を見てみましょう。

I　始原世界（Ur Welt）。アダムからノアまで＝従来は一六五六年間とされてきたが期間は不明。

II　無明世界（Dunkle Welt）。なお寓話・伝説的な世界。現存する最古の歴史叙述者の出現まで＝少なくとも一〇〇〇年間。

III　前世界（Vor Welt）。モーセからキュロスまで＝一〇〇〇年間。まだ世界史叙述のない時代。

a　モーセからトロイ戦争まで＝四〇〇年間。
b　トロイ戦争からサルダナパルスまで＝三〇〇年間。
c　サルダナパルスからキュロスまで＝三〇〇年間。

IV　古代世界（Alte Welt）。キュロスからクロヴィス、楊堅（隋）、ディザブル（トルコ）、マホメットまで＝一〇〇〇年間。

a　キュロスからアレクサンドロスまで＝二〇〇年間。
b　アレクサンドロスからキリストまで＝三〇〇年間。
c　キリストからテオドシウスまで＝四〇〇年間。
d　テオドシウスから中世まで。

V　中世（Mittel Alter）。クロヴィスからディアス、コロンブス、ルターまで＝一〇〇〇年間。

VI　近代世界（Neue Welt）。紀元一五〇〇年以後。

同じ啓蒙主義的歴史ながら、コンドルセとはずいぶん雰囲気が違います。コンドルセの場合は普遍史の外で構想された歴史なのに対し、かれの場合は普遍史から出発したため、普遍史の母斑を残しているからです。とりわけ第I期と第II期には、まだ聖書による記述が残っています。しかし、かれはモーセを最初の歴史家と考え、このモーセの記述があることをもって第III期以後を歴史時代とし、それ以前の時代、第II期までの「寓話・伝説的な世界」の時代と区別しています。しかし第III期は、歴史書はあってもまだ世界史に組み込むには不充分な、ただし正確な事実が増大すれば直ちに世界史の「古代」に組み込める時代です。そしてかれはアケメネス朝ペルシアを開いたキュロスから以後は充分な事実確認のうえで世界史が描けるとし、この第IV、第V、第VIの時期に、それぞれ古代、中世、近代を時代名として使用します。そしてこの古代、中世、近代に対して、年号は全てイエス紀元で記しているわけです。具体的記述は、目次でも分かるように中国をも含む地球大の世界を対象としており、進歩史観のもと、特に技術発展を重視して人類文化の進歩を描いています。

シュレーツァーの「古代」は、こうして、世界史に必要な事実性が史料によって明らかになれば、かれの「時間」の性質からいって、いくらでも過去に遡ることができるように設定されています。他方でかれはビュフォンの自然史を受け入れていますから、自然史からは、地球の発生というはるかな過去から歴史時代に迫ってくることになります。かれが『世界史』で設定した第I期から第III期までは、こうして、「古代」と自然史によって挟撃される位置にあります。シュレーツァーの生きた時代には、まだ考古学という学問はありませんでした。このこともあってかれはまだ普遍史の母斑を残していますが、この母斑は、歴史学、考古学、自然史研究などの成長とともに消え去る運命を最初から与えられているのです。そして実際に一九世紀にはいると、学問の発展のなかでこの母斑は消え去りました。

つまりシュレーツァーは、今日の、先史時代—古代—中世—近代という時代区分による世界史記述の基礎を提供したのです。かれはニュートン的時間を歴史に導入しましたから、当然、普遍史的時代区分は放棄しました。しかしかれの歴史も「進歩」の歴史ですから、別の時代区分が要求されます。そこでコンドルセの一〇期の時代区分とは異なり、ケラーが提供していた三区分を利用し、それに啓蒙主義的内容を盛り込んで、新たな世界史の時代区分としたのです。一九世紀の歴史のなかで受け継がれたのは、コンドルセではなく、シュレーツァーの時代区分のほうでした。普遍史から生まれた三区分法は、こうして、啓蒙主義的歴史学によって世界史の時代区分として生まれ変わり、一九世紀に引き渡されたのです。

啓蒙主義的歴史学は、このようにキリスト紀元、啓蒙主義的三区分法を一九世紀に伝え、さらに創造の奇蹟や終末を歴史から追放し、人間の主体的活動を正面に据えた文化史的世界史を記述しました。その方法と記述には一面性や問題があったとしても、それは一九世紀に展開する**近代的な科学的歴史学への出発点**にもなったと、わたしは考えています。

3——啓蒙主義的世界史の諸問題

実際の文化史的世界史の記述を見ると、個人的な相違点を超えた、いくつかの共通の問題点が浮かんできます。ここではそうした問題点をまとめておくことにします。

進歩を実現したのはヨーロッパ

大航海時代には、新世界やアジア諸国について次々とヨーロッパに新情報がもたらされました。ヨーロッパでは、情報の洪水のなかで、新世界やアジア、とりわけ中国文明をどのように位置づけるかなどが議論されてきました。前章でもその一端を見ましたが、こうした議論は、裏を返せば、新たに出現した地球規模での「世界」のなかで、ヨーロッパ自身がいかなる位置を占めているのかという問題に関する議論でもあったといえます。

啓蒙主義的世界史は、この問題に「進歩史観」の立場から解答を与えました。「ヴォルテールの世紀」一八世紀を先導した**ヴォルテール**に、その解答の端緒が現れています。かれは『ルイ十四世の世紀』(一七五一年)の「序説」のなかで、「世界史上特筆すべきものとして、四つの世紀を数えるにすぎぬ」といい、かれなりの進歩史観を示しています。

第一は「フィリップとアレクサンダーの時代」、「第二は、シーザーとアウグスッスの時代」、「第三は、コンスタンチノープルが、メフメット二世の手に帰した、その直後の時代」、「第四は、人呼んでルイ十四世の世紀という、恐らく四時代中最も完全に近いものである。前三者の所産を受けつぎ、分野によっては、これを合わせた以上の進歩さえ示した。〔中略〕一般に、理知そのものが、完璧に近づいたのである」（丸山熊雄訳、岩波文庫、第一章序説）。

第一の時代を飾る人々にはペリクレスやプラトンなども挙げられていますから、それは、今日の表現でいえば、ヘレニズム文化、それにギリシア古典文化も含みます。第二はローマ古典文化、第三はルネサンス、そして「ルイ十四世の世紀」ということになるでしょう。かれは中国文化についてもよく知っていましたが、それを故意に無視したうえで、「世界史上特筆すべきもの」として、結局ヨーロッパ文化史のなかから四つの時代をあげているわけです。そして最後の「ルイ十四世の世紀」を最も完成に近い時代として位置づけていきます。かれは、ヨーロッパでのみ、進歩が実現してきたといっているのです。

コンドルセが示した人間精神の進歩の一〇段階のうち、第四段階以後の記述は、全てヨーロッパが舞台となっています。かれの場合もまた、第四段階から現在の第九段階に至る進歩を実現したのは、唯一、ヨーロッパ世界のみでした。しかしコンドルセの場合、それだけではなくさらに進歩史観の危険な側面が現れてきます。第一〇期「人間精神の未来の進歩」の章で、かれは現在の「フランス人や英米人のように、もっとも文化が開け、もっとも自由であり、僻見からもっとも解放せられている民族が達成したような文明の状態」を強調します。他方で、かれは「国王に隷属している国民の奴隷状態や、アフリカ土民の野蛮な状態や、未開人の無知」を指摘します。そして未来を展望して諸国民の間での平等、民族内部での平等、真の人間の完成という理想が実現するであろうと予言しています。問題はありますが、ここまではよいとしましょう。しかし問題は、そうした未来を切り開くための諸方策として独占会社による貿易の打破と自由貿易の推進を主張し、自由貿易が実現したときに起こる新たな状況の変化を予想している場所です。

〈盗賊どもの商館は、アフリカに、アジアに、ヨーロッパの自由の原理や範例、知識や理性を普及するような市民の植民地となるであろう〉

コンドルセは東インド会社など独占会社の社員が各地で行った「横暴な簒奪《さんだつ》」やスペイン人のアメリカ大陸での蛮行を非難し、「盗賊ども」といってかれらを批判します。そして自由貿易に転換することによって「盗賊ども」は姿を消し、代わって商館に住むはずの新たなヨーロッパ人によって、商館や植民地の役割が変化すると説いているのです。ヨーロッパ人がアジアやアフリカで働いた「横暴な簒奪」を真剣に批判するのなら、そもそも、ヨーロッパ人が各地に植民地を持つこと自体を批判すべきなのではないでしょうか。しかし、コンドルセは、植民地に住むヨーロッパ人が従来とは別の人々に、つまり啓蒙された人々に替わることを主張するだけです。この新来のヨーロッパ人は、かれらが実現した「進歩」＝文明を世界各地に広める教師となると考えているからなのです。かれは、ヨーロッパのみが進歩を実現した以上、こんどは全世界の進歩のために、**ヨーロッパ人が教師として世界で働くことを期待**しているのです。商館や植民地は、これらの世界を文明化する任務を負った、教師としてのヨーロッパ人の拠点に変わると考えているのです。

わたしはかれの良心までを疑おうとは思いませんが、しかし、啓蒙主義が与えた新たなヨーロッパの位置づけは、コンドルセにおいては「文明」、「進歩」の美名のもとに植民地所有を肯定する、危険な一面を有するまでに進みました。その背後には、フランス革命によって新たな時代を切り開いたとする革命家としての自負や、それに基づく楽天的な未来への展望があったとはいえます。しかし他方ではその展望は、アジアやアフリカの人々の側から見れば、新たな危険性をあらわにした議論でもあったのです。その結果は、やがて一九世紀にはいると、次々と現実の諸事件のなかに現れてくることになります。

アジアの特徴は「停滞」

一八世紀にはいるとフランスのイエズス会士たちが中国に入り、系統的な情報をもたらすようになります。その報告もまた、ヨーロッパ人を驚かせました。一七世紀から一八世紀にかけての中国は、康熙帝・雍正帝・乾隆帝の時代に当たります。清の全盛時代に中国を訪れたイエズス会士たちは、中国の歴史の古さだけでなく、領土の巨大さ、政治制度の見事さ、産物の豊かさなどを次々と報告してきたのです。アメリカ先住民たちに対しては自らの「文明」を誇ることができたヨーロッパ人ですが、中国の文明に対してヨーロッパの文明の独自性や優越性を主張しようとしても、その根拠を持つことは容易なことではありませんでした。むしろ、最初は圧倒されていたと表現してもよいと思われるほどです。

こうした状況を脱し、中国とヨーロッパが世界で占める位置の相違について新たな解答を提出したのもまた、啓蒙主義でした。**ヴォルテール**はいいます。

〈シナの人々は、いまでもそうだが、哲学や文学に関する限り、二百年前のヨーロッパ人と、ほぼ同じ状態にあった。先哲を尊敬するあまり、これに与えられた限界を越えることができぬ。学問の進歩は、時と知的勇気の賜物だ。が、道徳や治安は、学問より分りやすく、これが、この国では、ほかの分野で、まだ発達が見られぬうちに、完全の域に達したので、結局、シナの人々は、二千年以上前、発展の最終段階に到達し、そこに止まっているので、学問では遅れながら、道徳や治安の点だと、世界最古かつ最高の国民といえるのである〉（『ルイ十四世の世紀』㈢第三九章）

ヴォルテールは、中国の文明がヨーロッパの文明はおろかノアの大洪水よりはるかに古く、世界最古のものと考えていました。かれの「時間」はニュートン的な時間ですから、中国文明をノアの大洪水以後に押し込めるために苦労する必要はありませんでした。むしろ、ノアの大洪水より中国文明のほうが古くなることを根拠に、普遍史を批判していきます。またかれは、イエズス会士たちの報告してくる評価を受け入れ、「道徳や治安」の面で、中国が世界最古で、かつ現在でも最高の民族であることも認めます。しかしそれは「二千年以上前」に達成されたもので、現在なおその水準に停止しているというのです。哲学や文学は「二百年前のヨーロッパ」といいますから、ルネサンスの水準まで発展したけれども、しかしこれもその水準で止まっているといいます。さらに「学問では遅れ」ていると主張します。ここでかれがいう「学問」は、数学も含む「科学」に置き換えることができますが、この面では中国は遅れているのです。もちろん進んでいるのはヨーロッパです。ヴォルテールは一方で中国の文明に深い敬意を払いつつ、しかしその特徴を「停滞」として示し、他方では、一七世紀の「科学革命」を背景に、科学文明の進歩をもってヨーロッパをより高い地位にあると主張し、さらに「進歩」そのものをヨーロッパの特徴として押し出しているわけです。啓蒙主義の進歩史観は、地球大の新たな世界におけるヨーロッパの特質を「進歩」としました。返す刀で、中国、広くはアジアを「停滞」として差別化することで、普遍史が解決し得なかった難問に一つの解答を与えたということになります。

それでは、なぜ中国（アジア）では、「停滞」が起こってしまうのでしょうか。ヴォルテールは事実としての「停滞」を主張はしましたが、この停滞の原因についてまでは説明することができませんでした。啓蒙主義の基本的な考え方は、まず人間を「理性」を持つ動物と考え、その理性が進歩・発展するということであったはずです。この場合、「野蛮」人であろうとヨーロッパ人であろうと人類はすべて「ホモ・サピエンス」なのですから、人間として持っている理性については変わりありません。しかも歴史は理性自身が持つ法則に従って発展するはずなのですから、「進歩」はどこでも同じように起こるはずです。それなのに、なぜ中国（アジア）でだけは「停滞」が起こってしまうのでしょうか。

この問題を理論的に見事に（？）説明したのが、**モンテスキュー**の『法の精神』（一七四八年）でした。かれは本書で、まず人間理性が作り出した政治的構造体（＝「政体」）を三種に分類します。専制政体、君主政体、共和政体（貴族政体と民主政体に下位区分されます）の三政体です。君主政体と共和政体はヨーロッパで見られるもので、ともに人々の主体性＝「自由」を基礎としており、そこから文化の進歩・発展が生じます。これに対し中国（アジア）では古来常に専制政体が存続し、しかもこの政体は人間の「隷属」を基礎としているので、文化も変化・進歩がない＝停滞しているときめつけます。

これがかれのアジア停滞論の骨子ですが、しかし、同じ人間理性の生み出したものでありながら、中国（アジア）では常に隷属＝専制政体が発生して永続するのに、ヨーロッパではなぜそうはならないのでしょうか。かれはその原因を人間理性自身ではなくその外に、風土に求めるのです。かれの停滞論のカギとなったのが、この**風土論**でした。〈暑い風土の民族の怯懦《きょうだ》がほとんど常に彼等を奴隷とし、寒い風土の民族の勇気が彼等の自由をもたらしめた事は、怪しむに足らぬ。それはその自然的原因からくる一結果である〉（第一七編、第二章、根岸国孝訳、河出書房新社）

かれはまず、地球上における位置と気候がそこに住む人々の気質に与える影響を、当時盛んに出版された旅行記などを利用して整理します。簡単に言えば、北方に住む人間は厳しい自然との対抗上、身体も大きく頑健で強靭な体力と気力とを有するが、南に移るに従って気候が和らぐと人々の気質も穏やかなものとなり、さらに酷暑の地方に至ると、極度の暑さゆえに、そこに住む人々は肉体的・精神的にも柔弱で、怠惰かつ隷属状態におかれやすくなっていくといいます。そしてこれを前提に次のようにいうのです。
〈アジアは固有な意味における温帯を持たぬ。そこで、ここでは非常に寒い風土にある場所が、直ちに非常に暑い風土にある地方、即ちトルコ、ペルシア、インド、シナ、朝鮮、日本に接している。これに反し、ヨーロッパでは温帯が極めて広い。これによって生ずる結果は、アジアに於いては強い国民が弱い国民と相対し、好戦的で勇敢な、活動的な人民が、柔弱、怠惰、臆病な人民と直接接触するということである。だから一方は征服され他方は征服者とならざるを得ない。

これに反してヨーロッパでは、強い国が強い国と相対している。互いに隣接している国々がほぼ同様の勇気を持っている。

これがアジアの無気力、ヨーロッパの強大、ヨーロッパの自由、アジアの隷属の大きな理由である〉(第一七編、第三章)

この説明は、それなりに根拠を持っているともいえます。ロンドンもパリも、北海道より北に位置しています。数えあげられているトルコから日本までの地域は、緯度ではどこもヨーロッパより南に位置しており、いずれも「非常に暑い風土」としても、あながち間違いとはいえないでしょう。他方モンゴル高原など、アジアの平野に接する高原地方は、「非常に寒い風土」ともいえるでしょう。しかも、当時のオスマン帝国、清王朝、ムガル王朝などは、いずれもこうした「非常に寒い風土」からやってきた人々による征服王朝ですから、アジアの諸地域の王朝成立の歴史を説明しているともいえます。こうしたことに加え、平野の大小や肥沃の度合いなどの自然的条件もまた、自由と隷属の原因となるといい、広大で肥沃な平原を持つアジアでは、この自然的条件によっても、たとえ何らかの原因で専制政体が倒れたとしても、再び隷属＝専制政体が発生してくると説明します。

以上はアジアに関する一般論の概要です。中国に関してはさらに、盛んにイエズス会士たちの報告を利用しながら、儒教思想を核とした中国の人々の「**一般精神**」もまた、中国における専制政体の永続性を支えていると説明しています。

最後に、かれのアジア社会論も重要です。かれは奴隷制を三種に区分します（第一七編、第一章）。ギリシア、ローマの「市民的奴隷制」、ハレムの女性の「家内奴隷制」、アジアにおける、臣民全体が君主に隷属しているという意味での「**政治的奴隷制**」の三種です。また、市民的奴隷制は、この政治的奴隷を起源としていると説明します。つまりアジア社会は、歴史的には古代ギリシア、ローマの前段階に属する奴隷制社会なのです。

アジアとヨーロッパを「隷属」と「自由」で対比させる考え方は、すでに古代ギリシアに登場していました。これを政治形態に置き換えてアジアの専制君主政とヨーロッパの君主政、共和政を対比したのはマキャベリでした。こうした伝統的な考え方も継承しながら、風土論を武器に、モンテスキューは、さらに啓蒙主義における文化の停滞と進歩の問題を含めて、総合的に説明したということになります。しかも、アジアはギリシア、ローマの前段階に位置する、「政治的奴隷制」の段階で停滞していると位置づけているのです。『法の精神』は、本来は、法が理性を一般原因としながら様々な特殊的原因との結合によって多様な実定法として実現し、この結果世界には多種多様な法体系が存在することを論理的に解明しようとして書かれた本です。イギリスをモデルとし、君主政体下での自由保障のための制度を考察したのが有名な三権分立論ですが、これもかれの理論の一部です。かれは、したがって、本書で特にアジアや中国論のみを展開したわけではありません。しかし、むしろこのような体系的理論の有機的な構成要素としてアジアや中国の政治や文化が説明されていることは、それだけなお説得力が大きかったともいえます。実際かれがここで展開した内容は、この後、ヨーロッパで大きな影響力を保持し続けました。

オリエンタリズムの出発点

次に、**コンドルセ**の場合を見ましょう。ヴォルテールは君主政を否定していませんでしたから、皇帝が治めている中国の政治文化を高く評価しても、自己の信条と矛盾をきたしたわけではありませんでした。しかしコンドルセの段階に至ると、この皇帝の政治自体が強い否定の対象になってきます。かれがルイ一六世の処刑に反対したのは政治的判断からであって、かれ自身は共和主義者でしたし、その信条のもとで革命家としてフランス革命を闘ってきました。このようなコンドルセにおいては、もはや中国は、否定すべき専制君主の統治する国でしかありませんでした。かれもヴォルテールと並んで中国の文明の古さを承認しますが、しかし古いと同時に、文化的にも政治的にもその古い段階で停滞していると考えています。また、停滞の原因やどの段階での停滞かに関しては、モンテスキューを受け継いでいます。かれはその啓蒙主義的世界史の第三段階に中国を含むアジアの諸文明を位置づけていますが、それは、このような議論を踏まえているからです。

こうして一八世紀末になると、ヨーロッパ人は中国文明からうけた衝撃から立ち直り、ヨーロッパよりはるかに後進的地点で停滞しているとして、中国を見下ろすに至っています。こうした態度の背後にあるのは、ヨーロッパにおける一七世紀の科学革命以来の科学文明の進歩への自信のみならず、フランス革命によって政治的にもはるかに高い段階に達したという自覚からくる自信、さらに世界に広く植民地を拡大しつつあったという当時の状況からくる自信など、さまざまな意味での「自信」であったといえるでしょう。

エドワード・W・サイードは、**オリエンタリズム**が一八世紀末に出発点を持つとしています。[4] かれはオリエンタリズムという言葉を、単にオリエント的専制、オリエントの光輝と残酷などといったオリエント・イメージだけでなく、西洋の東洋《オリエント》に対する支配の様式をもしめす言葉として使用しています。さきにも見たコンドルセの未来におけるヨーロッパの役割の議論もあわせ考えると、コンドルセは、こうしたサイードのいうオリエンタリズムの出発点に立っているともいえます。

中世の位置づけの不明確さと進歩史観の根本的問題

最後に、進歩史観による具体的世界史記述について、ヨーロッパ史の叙述自体にも含まれている問題点を見ておきます。啓蒙主義は進歩史観のもとでヨーロッパを進歩の実現した世界として位置づけたわけですが、実際のヨーロッパ史記述を見ると、こうしたいわば大原則にそぐわない記述が、いつもまといついています。

ヴォルテールの四つの世紀を思い出してみましょう。そこでは世界史上最も重要な世紀として、古代のギリシア文化とローマ文化、それにルネサンスと「ルイ十四世の世紀」が挙げられていましたが、ここでは進歩の過程のなかで、完全に**中世が欠落**しています。コンドルセの場合には、問題がもっとはっきりしてきます。かれは人間の完成に向かう進歩について、「進歩は決して逆行しないであろう」と述べていました（一一九頁）。ところが、かれの一〇段階の時代区分をみると、その第六期の基本的特徴を「知識の衰退」としています。第六期は西ローマ帝国の滅亡から一一世紀末までを指していますから、これは今日では「中世前期」と呼ばれている時代です。この時代をかれは「衰退」としているのですから、停滞どころではなく、「逆行」したとしているわけです。中世の実際の位置づけあるいは評価が、理性の進歩という基本命題と矛盾しているのです。

なぜこうした矛盾が生じたのでしょうか。それは、実は啓蒙主義的歴史における「進歩」の観念そのものの内実に原因があったといえます。というのは、コンドルセは、「進歩」の内容を、理性の生み出したものである知識・情報の増大としてとらえているのです。理性の進歩を、理性そのものの変化・発展ではなく、**知識・情報の量的増大**に置き換えているわけです。このことは、かれの時代区分の指標にも現れています。そこでは、アルファベットや印刷術、デカルトなどといった、時代区分にまで関わる事件としては今日お目にかかることのない指標が選ばれていました。かれがこれらの指標を選んだのは、これらが知識の増大に果たした役割に注目したからだったのです。

例えば、アルファベットについてみてみましょう。人類史の第三期は農耕民の進歩を語りますが、ここでは、中国やエジプトなどで、農耕民たちが漢字やヒエログリフなど、文字を発明したことを述べています。漢字やヒエログリフは、それ自体、知識が記録されることによってその後の進歩の土台となりますから、これも一つの歴史的段階を示す指標となります。しかし他方この時代では、これらの文字を学んだり使用することができる人は、社会のなかのほんの一握りの人々にすぎません。そこでこの文字はやがて知識の独占を生み出しますし、知識を独占した人々も専制君主によって支配されてしまいます。その結果、進歩の果実が専制君主支配の道具に転化してしまい、アジアの歴史はここで停滞してしまうというのです。

こうした状況を打ち破ったのはアルファベットだと、コンドルセは考えます。ギリシアのアルファベットは二四文字しかありません。これだけの文字で全ての言葉が記録できるのですから、当然、ほとんどのギリシア人が読み書きができると推定されます。そこで、知の独占の状況が打ち破られ、知識・情報が社会の構成員たちに広く行き渡り、その結果、また新たな知識・情報が付け加えられることになります。このことをかれは歴史を変える決定的な契機と考え、第三期と第四期を分ける指標にアルファベットを選んだのです。そしてこれ以後人間精神を発展させたのは、もはや漢字やヒエログリフを使用する中国人やエジプト人ではなく、アルファベットを使用したギリシア人、ローマ人、さらにはヨーロッパ人だとして、かれらが実現した「進歩」を記述するのです。

印刷術の発明が選ばれた理由も、もはや説明する必要はないでしょう。デカルトが選ばれたのは、哲学が知識・情報の拡大をそれまで縛りつけてきた教会の権威から解放したことが理由ですから、同じ論理が適用されているといえます。このように、知識と情報の受け手と発信者の量を増大させ、その結果としてまた知識・情報そのものを増大させた発明や事件、象徴的人物などが、時代区分の指標となっているのです。

このような見方からすれば、たしかに五世紀半ばから一一世紀末までは、「知識の衰退」の時代ともいえます。例えばカール大帝は、努力してラテン語は読めるようになりましたが、生涯にわたって、書くことはできませんでした。神聖ローマ帝国を建設したオットー大帝も、ようやく三〇代に入ってからラテン語の文字を学び始めています。大部分の貴族たちは文字が読めませんでしたし、農民は言わずもがなです。結局、当時は教会の一部の僧侶たちしか文字（ラテン語）の読み書きができなかった時代でした。したがってこうした状況を考えれば、「知識の衰退」とすることはあながち間違っているとはいえないことになりますし、コンドルセなりに筋が通っているということにもなるでしょう。

しかし、そもそも進歩は法則だったはずです。「逆行」もしなかったはずです。また今日から見れば、カール大帝がラテン語を書けなかったからといって、それが、かれのヨーロッパ史で果たした役割についての評価を左右することになるとも思えません。ここでは、理性の発展が知識・情報の量的増大に置き換えられることで、理性そのものは、常に変わらず知識を生み出す源として、歴史の流れの外に立たされています。また知識・情報の増大という基準のみによって歴史の進歩を裁断することも、とりわけ中世については一面的で自己の原理とも矛盾する記述を生み出しています。これらの問題は一九世紀に克服されることになりますが、それは次の章で述べることにしましょう。

第4章　註

1　拙著『聖書vs.世界史』講談社現代新書　一九九六、一五七〜一七六頁で詳しく紹介した。
2　ビュフォン、菅谷暁訳『自然の諸時期』法政大学出版局　一九九四。
3　ドイツ啓蒙主義歴史学については、拙著『キリスト教的世界史から科学的世界史へ』勁草書房　二〇〇〇、を参照されたい。
4　エドワード・W・サイード、板垣雄三他監修、今沢紀子訳『オリエンタリズム』平凡社　一九八六。

第5章　近代ヨーロッパの世界史記述――科学的世界史

カール・マルクス

マックス・ウェーバー

イマニュエル・ウォーラーステイン
（写真提供・共同通信社）

第1節　歴史観の世界観的基礎

1――ヨーロッパの世界支配と西欧の一九世紀的歴史意識

西欧列強の世界進出、アジア、アフリカ諸地域の植民地・半植民地化などの具体的過程については、別の書物に任せることにします。ここでは、ヨーロッパ諸列強を頂点として「構造化」された一体的世界と、そのなかで形成された特徴的なヨーロッパ人の歴史意識について、二点だけ、押さえておきたいと思います。

「文明化の使命」と近代的な三重構造の世界

まず第一に、一九世紀ヨーロッパ人の歴史意識を特徴的に表すキー・ワードとして、**「文明化」**、**「文明化の使命」**という言葉があります。とりわけイギリスでは、東田雅博氏によれば、それはヴィクトリア時代（一八三七～一九〇一）の時代精神であったとされます。「文明化の使命」とは、「自らを最高の文明国と見なしつつ、自余の世界を『未開』・『野

近代史の概要

この章では、一部20世紀前半も含むが、基本的には19世紀を扱う。

この時代、ヨーロッパ世界では市民革命と産業革命という「二重革命」が進行し、市民社会と国民国家、資本主義社会が形成されていく。このようにヨーロッパは激動の時代だったが、これと連動して世界もまた激動の時代を迎える。

資本主義はヨーロッパから発して世界全体を巻き込み「世界市場」を形成していくが、その過程は、アジア、アフリカ世界にとっては西欧列強の植民地化の進行として現れる。日本やタイのようにかろうじて独立を守った国もあるが、大部分は西欧諸国の植民地または半植民地とされていく。そしてこの結果、ヨーロッパ世界を中心に、地球規模での世界の「構造化」または「一体化」が実現し、今日の「地球社会」への出発点となった。

19世紀は「科学の世紀」ともいわれ、また歴史学においては「ロマン主義」という新たな思潮を基礎に、「歴史主義」と史料批判に基づく「科学的歴史学」を成立させる。なかでも代表的な存在だったのがランケとマルクスだが、二人はまったく異なった立場から、しかし同様の構造を持つ世界史を記述した。そして19世紀後半に至って、新たに「先史時代」が発見され、「古代」像の刷新などにより、「19世紀西欧的世界史」が形成される。

「19世紀西欧的世界史」はしかし、今日から見れば、「国民国家」を基礎とした歴史記述であり、またヨーロッパの世界支配の現実を「近代的な三重構造の世界」として理論的に支え、合理化するなどの問題点を持っていた。

19世紀西欧の世界認識や歴史意識は、そうした問題点をはらんだまま、世界に広く伝えられた。明治期日本の歴史学研究もその一例である。さらに戦後日本の「世界史」もまた、この「19世紀西欧的世界史」の直接的継承から歩み始めるのである。

蛮』と断じ、それゆえそこに自らの文明を分け与えることが義務だとする〔中略〕観念[1]」のことです。この観念は、後に述べる、「科学的」に裏打ちされた**近代的な三重構造の世界**像と結びついています。アジアは古代、「暗黒大陸」アフリカは「未開」・「野蛮」（原始時代）に停滞しているとされ、それらの地域の「文明化」が主張されます。そしてこの主張はまた、資本主義の展開とともに進められたヨーロッパ列強の植民地支配、それを通じて実現された世界の「構造化」、あるいは世界の一体化という現実を背景としていました。

一例として、イギリス自由党の指導者だったグラッドストーンのインド統治論を挙げることができます[2]。かれの理想主義、自由主義は、ディズレーリの現実主義、帝国主義に対置してしばしば論じられます。実際かれは小英国主義者で植民地分離を唱え、ヨーロッパ人（アングロ・サクソン人）の住むイギリス植民地について分離・独立を主張しました。それは「神の摂理」でもありました。ところが、この「神の摂理」は、「後進的な異民族植民地」では別の内容を持っていたのです。グラッドストーンにとっては、神はこのような地域においては「文明化された」社会が「野蛮」な社会を統治してこれを文明化するよう命じられたのであって、したがって、インドのような後進民族に対する統治は、イギリス人に神が授けた「倫理的信託」だというのです。この神の信託に応えてその「倫理的使命」を果たすことこそ、イギリスの「国民的栄誉」に対して負わされた、最も重大な課題とされたのです。

周知のように、インド綿工業はイギリス人の生活を変え、「生活革命」の一環となってやがて綿工業から産業革命が始まる契機となりました。それだけの力量をインド綿工業は持っていたのですが、これを破壊し、イギリスの市場、原料供給国に変えたのはイギリスでした。グラッドストーンの主張は、こうした過去には目をつぶったうえで、インド社会の「文明化」を行うことをイギリスに対する神の「倫理的信託」だと主張しているのです。

「文明化の使命」論は、こうして実は、アジア・アフリカの諸民族を支配し、そのなかで未開・半未開状態を押しつけ、中国やインドの人々に「停滞」を押しつけることと結びついていたのです。コンドルセにおいてはまだ一つの「危険性」だったことが（一四九頁）、ここでは現実になったのです。コンドルセが期待した「教師」の役割が、いまや現実に「停滞」や未開・半未開を非ヨーロッパ世界に押しつけたうえで天命や義務にまで高められており、侵略を合理化するイデオロギーに転化しているのです。こうした意味で、一九世紀ヨーロッパにおけるアジア論、オリエント論は、純理論的な、あるいは客観的・科学的なアジア論、オリエント論ではない側面をもっていたことに注意しなければなりません。

国民国家意識

今まで「ヨーロッパの世界支配」といった言葉を使ってきましたが、しかし、周知のごとく、実際には上のような動きはヨーロッパ全体が一体になって行ったわけではありません。イギリスを先頭としてフランス、ドイツなど、ヨーロッパの個々の列強諸国が競い合いながら、これを遂行したわけです。このように国民国家が単位となって一九世紀の国際政治が進められたことは、一九世紀におけるヨーロッパの人々の歴史意識に、やはり大きな影響を与えました。この点を、第二点として押さえておきたいと思います。つまり、歴史研究の出発点となり、枠組みを与えていたのが**「国民国家」**であったということです。この点については、今後、様々な場所で触れていくことにします。

2――ロマン主義の世紀

初期ロマン主義

「啓蒙主義の世紀」一八世紀に対し、一九世紀を「ロマン主義の世紀」と呼ぶことができます。そして啓蒙主義が進歩史観に基づく世俗的な「文化史的世界史」を生み出したように、ロマン主義は歴史主義的発展段階論にもとづく「科学的世界史」を生み出します。

「ロマン主義」は芸術史では今日でも一定の地位を与えられていますが、しかしそれが一九世紀全体を特徴づける思想とは考えられないかもしれません。そこでロマン主義思想の発生から始めて、それがいかなる内容を持っていたのかを整理しておきましょう。ロマン主義思想発祥の地はイギリスとドイツですが、ここではドイツの例で見ることにします。

ドイツでは、一七九八年にロマン主義(「初期ロマン派」)が誕生しました。この年『アテネーウム』という文芸雑誌がイエナで発刊され、そこで自らの思想的立場を「ロマン主義」とする宣言が行われたのです。このグループに属していたのは、シュレーゲル兄弟を中心とする、文学者のノヴァーリス、ティーク、宗教哲学者シュライエルマッハー、哲学者シェリングたちです。かれらはイエナで一時共同生活を営むなど、緊密なグループ活動を通じて活発な批評や創作活動を展開しました。その理論的指導者だった弟のフリードリヒ・シュレーゲル(一七七二～一八二九)が、このグループの考え方に「ロマン主義」の名称を与えたのです。九八年当時、最年長でこのグループのまとめ役だった兄のW・シュレーゲルが三一歳、最も若かったシェリングは二三歳です。初期ロマン派は、二〇代の文学青年たちの思想運動として出発したわけです。

かれらの思想面での共通項は、当時支配的であった**啓蒙主義への反発**でした。啓蒙主義の合理主義・理性中心主義を批判して人間の心情（Gemüt）を重視することを主張したのですが、これを核として**文学論**、**人間論**を展開しました。その対立点をあげてみましょう。

（啓蒙主義）⇕（ロマン主義）
理性主義⇕感情（心情）主義
合理主義⇕非合理主義
客観主義（普遍主義）⇕主観主義（個性主義）
世界市民主義⇕個人主義（天才主義）
機械論⇕有機体論

ロマン派の人々も、人間が理性を持つ動物であることまで否定はしません。しかし、人間には感情という非合理的・主観的な要素があることを強調し、この点を啓蒙主義が正しく見ていないと批判しました。啓蒙主義が人間を「理性」という普遍的特徴で捉え、この意味で人間を全て同等の世界市民と考えるのに対し、人間には個性があることに重点を置きました。最大限に個性を発揮した個人をたたえ、天才主義を謳歌しました。

また啓蒙主義には、人間を「自動ピアノ」に例えたディドロ、『人間機械論』を書いたラ・メトリのように、人間を一つの機械と見る考え方がありました。この「機械的唯物論」は、生物としての人間に関する科学を発展させる源となった考え方でもあったのですが、これにロマン主義者たちは有機体論を対置しました。「有機体」は、命を持ち、自分自身で生きているものを指す言葉です。何よりも生命体として人間を見ることが重視されていたわけです。かれらは、こうした人間論の上に立って、新しい文学運動を始めたのでした。

思想的対立点は、まだまだ挙げることができるでしょう。しかし、そもそもかれらがこのように啓蒙主義を批判するに至ったおおもとは何だったのでしょうか。それは、当時ヨーロッパに現れつつあった「俗物」と、かれらが作り出しつつある新たな人間関係への批判、一口で言えば、当時展開し始めた**資本主義に対する批判**だったのです。

ロマン主義が呱々《ここ》の声をあげた一七九八年は、フランス革命が始まって九年目にあたります。他方、すでにイギリスでは七〇年代から産業革命に入っており、イギリスからヨーロッパにもその影響が及び始めた時代です。この動きのなかで、ロマン派の人々はそれにいち早く反応したのでした。資本主義的な生産の現場では人間の労働が「時間」で計られ、それが「お金」に換算されます。本来かけがえのない命を持ち、豊かな才能を持って生まれてきたにもかかわらず、そこでは人間は機械の一部にすぎず、抽象的な「数」としてしか現れません。ロマン主義者たちは、このような人間性に反する事態をもたらしたものこそ、啓蒙主義的合理主義だと考えたのでした。文学者・芸術家としての感性からいち早くこうした問題点に気づき、それを基礎に啓蒙主義を批判したのです。

かれらの「俗物」批判は、後の時代になると、市民的な職業を全て人間性を破壊するものと考え、芸術世界でのみ真の人間性が実現するという、芸術至上主義ともなっていきます。今日わたしたちが「ロマンチックな人」という言葉を聞いたとき、「空想的・非現実的な世界に生きている人」といった、何か否定的な意味合いを込めた人物像を思い浮かべるのは、こうした、後の時代に特に強調されるに至った意味を思い浮かべているのです。しかしロマン主義発生の当初には、この「俗物」批判は、現実的な、また鋭い社会批判だったのです。

後期ロマン主義とナショナリズム

一八〇〇年には『アテネーウム』も廃刊となり、かれらのグループとしての活動は終わり、続いて、かれらは否応なしに文学の世界から現実の世界へと引き込まれていきます。ナポレオンがドイツに進出し、一八〇六年、神聖ローマ帝国がついに滅亡します。続いてイエナ・アウエルシュテットの戦いでプロイセンも敗れ、ドイツはこの後ナポレオンの支配下に置かれます。この期間をドイツ史では「外国人支配時代」とも呼びますが、こうした事態が、初期ロマン派の人々を政治の世界に巻き込んだのです。

またこのころになると、ロマン派の第二世代が育ってきます。かれらは後期ロマン派と呼ばれますが、その代表がグリム兄弟です。この時期、例えばフリードリヒ・シュレーゲルはカトリックに改宗してウィーンに移住し、オーストリアの代弁者となっていきます。このように、後期ロマン派や、今や三〇代に入った初期ロマン派の人々の多くは、あらたな政治状況に対し積極的に関与していきます。それにともなって、思想的にも新たな展開を見せます。初期の特徴だった個人主義、有機体論を「民族」に拡大・適用し、**ナショナリズム**を唱え始めます。一九世紀は「**ナショナリズムの世紀**」とも呼ばれますが、「民族」を一つの有機体ととらえることで、ナショナリズムの理論的開拓者となったのもかれらでした。フランス人とは異なるドイツ人の民族的個性をドイツ人に自覚させ、フランス人支配への抵抗を呼び覚まそうとするかれらの言論活動から、それは生まれてきたのです。『グリム童話集』(初版、一八一二年)も、民族としてのドイツ人の魂の源を民話に求め、民族的な魂の覚醒を通じてドイツ人を奮起させようとして編まれたものでした。

また、かれらは啓蒙主義的な世界市民主義、契約論的国家論を否定します。啓蒙主義の唱える国家は、バラバラな諸個人のつくる社会における、単なる統治の「機械」に過ぎないと批判し、真の国家は、民族という個体が形成する一つの有機体だと主張しました。この**国家有機体論**を後に自らの国家論に採用して宣伝に努めたのがナチズムだったため、この考え方は、今日では顧みられることはありません。しかし当時かれらは、フランス人によって破壊されたドイツ民族の国家を再生させようと考え、このようなナショナリズム、国家論を展開しつつ、フランス人支配への抵抗を呼びかける活動を行います。こうしてロマン主義者たちは、「ドイツ解放戦争」のイデオローグとして活動していきます。

政治的ロマン主義と保守主義

ウィーン体制の時代は、「政治的ロマン主義」の時代となります。フリードリヒ・シュレーゲルは、ウィーン会議議定書の草案を作成し、さらにウィーン体制が成立すると、フランクフルトに置かれたドイツ連邦議会へのオーストリア代表となって活動しています。この時代に入ると、ロマン主義者の多くは、**保守主義の理論**を提出しウィーン体制擁護の活動を行っていきます。啓蒙主義は革命の理論を提出しましたが、政治的ロマン主義はその革命に反対する、保守主義の理論を創出したのです。保守主義が単なる革命への心理的反動ではなく、理論体系を備えた一つの「主義」となったのはこれが初めてといえます。政治思想としての保守主義を歴史上初めて提出したのもロマン主義だったのです。

政治的ロマン主義の核となったのは、国家有機体論でした。有機体の特徴は全体が一つの生命体であると同時に、それを構成する各部分もまた生命体であるということです。ロマン主義者は、このような**有機体としての国家**が存在していたのは**中世**だと考えました。なぜでしょうか。神聖ローマ帝国の構造を見てみましょう。神聖ローマ帝国はローマ皇帝を戴く一つの国家でした。しかし、それはプロイセン、オーストリア、バイエルンなどといった「領邦国家」や、ハンブルク、ケルンなどの「自由都市（帝国都市）」が三五〇くらい集まって構成されていました。この領邦国家のもとには農村や領邦都市がありました。それらは領邦君主の政治支配は受けますが、都市はおおむねギルドなどの市民の団体によって運営されていました。農村は東部などでは領主が直接経営する場合もありますが、西部ドイツでは、村の運営も村人自身にゆだねられている場合が多かったのです。

政治的ロマン主義者たちから見れば、都市や農村は、いわば細胞にあたります。それらはそれぞれほぼ自治的に運営されて人々の生活の単位となっています。そうした細胞が集まって枝葉や根、あるいは手や足にあたる領邦国家や自由都市を作り、これらの領邦国家、自由都市が集まって一つの有機体である「神聖ローマ帝国」を構成していたということになります。かれらの目から見れば、封建制度もドイツ民族の本性にかなったもので、「ドイツ的自由」に基づいて生み出された制度ということになり、こうした制度に基づく中世の神聖ローマ帝国こそが、最も理想に近い有機体的国家であったと映りました。しかもこうした有機体的国家は、中世以来長らく生命を保ってきたものの、しかし、一八〇六年、ナポレオンによって命脈を絶たれました。そこでかれらは中世の神聖ローマ帝国をモデルとする有機体的国家の再生を主張するにいたりますが、それはまた、フランス革命に最も頑強に反対してきたメッテルニヒ（オーストリア）の目指すところでもあったのです。

今日では文学、音楽、絵画など、主として芸術の歴史のなかでしかロマン派が語られることがなくなっています。しかし、このようにロマン主義は、人間論、芸術論から社会、国家論にまで及び、さらに現実政治にも関与した、広範な内容を持つ思想でした。科学の世界でも、人文科学、社会科学はもちろん、自然科学にまで及ぶ広い学問分野に影響を与えました。また、ドイツのみでなくほとんどの国々に広がりますし、世紀末には、「新ロマン主義」文学も登場します。一九世紀は、まさにロマン主義の世紀であったのです。

根拠としての歴史

ロマン主義は、とりわけ歴史学に深い影響を与えました。まず、それはこれまで以上に歴史に対する人々の強い関心を呼び起こしました。一九世紀は別名「**歴史学の世紀**」とも呼ばれますが、その基礎を作ったのもロマン主義だといえます。政治的ロマン主義が生み出した保守主義は、その政治的主張の根拠を中世という歴史上の一時代に求めました。このような、「**根拠としての歴史**」という歴史の位置づけは、過去にはなかった考え方でした。長い間ヨーロッパでは、何らかの政治的主張の根拠とされたのは、いつも「神」でした。それは「絶対君主政」の時代まで続いてきました。絶対君主たちは王権神授説を唱え、君主の権力の源を神に求めて王権の「絶対性」を主張したからです。これに反旗を翻したのが、啓蒙主義者でした。かれらは、王権神授説を批判するさい、「社会契約論」あるいは「理性」を持ち出しました。ここで初めて根拠としての「神」は姿を消します。これはこれで歴史の主体を人間に置いたわけですから、極めて大きな転換であったといえます。そしてさらに、この転換を踏まえたうえで、啓蒙主義の理性万能主義を批判し、また市民革命に反対する保守主義の側から、今回初めて歴史が持ち出されたのです。

しかも、この考え方は、一過性のものではありませんでした。この後、市民革命の推進者や、新たに登場する社会主義者なども、主張の正当性の根拠を歴史に求めるようになります。「歴史学の世紀」を成り立たせたのは、もちろん後で述べるように「科学」としての歴史学が成立したことがあります。しかし、このような歴史を重視する考え方が広範な人々に広まったこともまた、もう一つの大きな支えだったといえます。

発展段階論的歴史理解

ロマン主義はまた、第二に、啓蒙主義とは異なる、歴史に対する新しい考え方の母胎となりました。その結果生まれてきた考え方が、**歴史主義**です。歴史主義は一九世紀における歴史研究の支柱となりますが、これをわたしなりに表現するとすれば、「過去の歴史的事象を有機体としてとらえ、その生成・発展・死滅の運動を、個性に注目しつつ認識しようとする考え方」ということになります。ここでいう「歴史的事象」の代表的な例としては、先ほどの「民族」、「国家」や「世代」、「時代精神」等々を挙げることができます。

歴史主義は、「歴史法学派」、「歴史派経済学」など、いくつかの新しい学問を生み出します。ここでは、後者のほうを例にとって、歴史主義的な考え方の特徴を見ることにしましょう。この学派を開いたのはフリードリヒ・リスト（一七八九〜一八四六）の『政治経済学の国民的体系』（一八四一年）でした。この著作は、国民の文化的・政治的力量は経済状態によって決まり、逆に国民の経済状態もその文化的・政治的力量によって決まるとする基本的立場から、国民経済について五つの発展段階を設定しています。

1. 未開状態
2. 牧畜状態
3. 農業状態
4. 農工状態
5. 農工商状態

さらに、かれはドイツが現在第四の段階にあるのに対し、イギリスは第五の段階にあるとしました。当時ドイツはイギリスに自由貿易政策をとるよう迫られていましたが、かれはこれに反対し、経済的発展段階の異なるドイツでは自由貿易をとるべきではなく、国家が経済政策のイニシャチブをとって保護貿易政策を採用すべきだと主張しました。

このきわめて簡単な要約からだけでも、啓蒙主義的な考え方との違いがいくつも浮かんできます。まず、経済活動をとらえる場合の人間集団の基礎または単位として、世界市民ではなく、**「国民」**が設定されています。また、政策を主張する根拠に、「歴史的発展段階」が置かれています。さらに、このリストの考え方は当時のドイツの「工」の部分を担っている人々、つまり産業資本家の利害を代弁していると理解できますが、かれらはドイツの近代化を求める勢力でもありました。つまり保守主義ではなく、それに対立する産業資本家の代弁者としてのリストにおいても、歴史が主張の根拠として採用されるに至っているのです。

そして、これが最も注目すべき大切な特徴なのですが、この「発展」は啓蒙主義の進歩史観のような「量的拡大」としての「進歩」ではありません。設定されているのは、**質的な発展段階**です。「未開状態」が量的に増大すれば「牧畜状態」になるとは考えられませんし、「牧畜状態」がいくら量的な意味で拡大したとしても、それが「農業状態」になる

とも考えられません。ここでは、各段階におのおの異なった「個性」が与えられていま
す。つまり、各段階はおのおの、その段階の個性・特質が生成・発展・死滅し、その結
果、次の、別の個性ある段階へと進むのです。つまり、「量」ではなく、別の個性＝「質」
を持つ段階へ移行することを、ここでは「発展」と呼んでいるのです。

最後に、この質的発展という考え方は、啓蒙主義の進歩史観の欠陥を克服した考え方と
いえます。さきに啓蒙主義的歴史記述の問題点として、「進歩」の指標を知識の量的拡大
に置き換えていることを挙げました（一五九頁）。そこで問題なのは、進歩史観では、前後
の時代を比較すれば「量」は必ず前の時代のほうが少ないわけですから、常に後の時代の
ほうがより「進歩」した時代だということになってしまいます。しかしこれではどの時代
も次の時代を準備するという位置づけしか与えられません。これに対し、歴史主義のもと
では各時代がそれ特有の「質」を持つわけですから、どの時代にも一定の個性が認めら
れ、単なる次の時代の準備段階という位置ではなく、それ固有の位置が与えられます。ロ
マン主義が生み出した歴史主義は、こうして、啓蒙主義とは過去を見る目を大きく変えた
と同時に、進歩史観が持っていた問題点を克服するという内容を有していたのです。

中世研究の本格化

ロマン主義は、第三に、**中世研究の本格化**をもたらしました。この点でも、ロマン主義は、中世の位置づけをめぐる啓蒙主義的歴史の問題克服に貢献しています。

ロマン派は中世に対して深い憧憬をいだきました。そこで中世を題材とした文学作品を書き、ドイツに残っている「中世」の再発見を行い、実際に中世研究を推進したのです。ロマン派を代表する文学作品とされるノヴァーリスの『青い花』がそうです。ティークが若い頃行った中世再発見の旅は、今日の「ロマンチック街道」の起源となりました。W・シュレーゲルが「凍れる音楽」と評してゴシック建築の再評価を行ったことは、建築途中で長らく放置されていたゴシック様式の教会の工事再開を促し、ドイツの多くの教会で尖塔の完成をもたらすことになりました。例えば一五六メートルの双塔を持つケルンのドームが完成したのは一八八〇年、ドイツ人が世界最高と自慢する一六一メートルの尖塔を持つウルムのドームが完成したのも、一八九〇年なのです。ドイツ民族の魂を中世以来の民話に求めたグリム兄弟は、ドイツ語やドイツ人の民俗の研究を開始し、『ドイツ語史』、『ドイツ語辞典』など今日でも高く評価される研究を残しました。このようにして、ロマン派の活動によって中世が再発見され、本格的な中世研究が始まったといえるのです。

第2節　ヨーロッパ近代における歴史学・世界史像の特質

1――ランケによる「歴史主義の完成」と科学的世界史

「単にそれが如何にあったか」

「歴史主義」は、当然、歴史学においても最も大きな役割を果たしました。歴史学の世界で「歴史主義の完成者」として活動し、一九世紀で最も大きな役割を果たしたのがドイツの歴史家**レーオポルト・フォン・ランケ**（一七九五～一八八六）でした。

ランケは最初ギムナジウムの教師でしたが、そこで『一四九四年から一五一四年に至るローマ系及びゲルマン系諸民族の歴史』（一八二四年）という画期的な歴史書を刊行しました。これが認められて翌年ベルリン大学に招聘《しょうへい》され、以後死去するまで、ベルリン大学を拠点に旺盛な教育・研究活動を展開しました。出世作となったこの処女作で、かれは自らの研究の基本的特徴について、その序文で有名な次のような言葉を記しています。

〈人は歴史に、過去を裁き、未来に役立つよう、同時代を教えるという任務を与えている。しかし現在のこの試論はそのような高い役目を引き受けるものではなく、単にそれが如何にあったかを示そうとするにすぎない〉（筆者訳）

この、「単にそれが如何にあったか（wie es eigentlich gewesen）」という言葉は、以後、かれの学風を表す言葉として、また、かれによって革新された新しい歴史学のスローガンとして広く流布しました。この言葉は、まず第一に、当時まで主流だった啓蒙主義的歴史学を批判しています。啓蒙主義的歴史学の代表者、ヨハネス・フォン・ミュラーの歴史家に関する規定、「過去の裁判官であり、未来の世界への教師である」を批判した言葉だからです。ランケはこの言葉を通じ、啓蒙主義的歴史学の教訓的・実用的な歴史記述を退けたのです。

第二に、歴史研究は何よりもまず過去の事実に基づくものでなければならないという、かれの実証主義的主張が込められています。しかもこの「過去の事実」は、歴史家の個人的主義主張にとって都合のよいもののみであってはならず、誰もが承認できる客観的な事実でなければならないのです。しかし、このことは当たり前のようであっても、実際の研究のなかで、どのようにしたら「客観的事実」が取り出せるのでしょうか。この「客観的事実」探求のための「**史料批判**」の方法を確立した人こそ、ランケでした。歴史学は過去の「文書」を史料としここから過去の事実を引き出しますが、ランケは一つの文書からさまざまな「事実」を取り出す方法＝「史料批判」を磨き上げた歴史家でした。

この「史料批判」の方法は今日にも引き継がれており、現在でも、歴史学の研究を志す学生がまず第一に身につけなければならないものとして、必ず訓練されるものとなっています。そしてこの方法こそ、歴史学を「科学」に高め、今日の人文科学の一分野としての歴史学に出発点を与えるものともなったのです。先ほどかれによる歴史学の「革新」といいましたが、その「革新」の中心となったものでもあったのです。

ランケは、また、「ゼミナール」という講義形式を重用しました。この講義形式は、当時生まれて間もない講義形式でした。かれはこのゼミナールを通じて学風を弟子たちに伝え、多数の歴史家を育成しました。これらの歴史家たちは「**ランケ学派**」と呼ばれ、前章で述べた「ゲッティンゲン学派」をしのいで、一九世紀ドイツの歴史学を担っていきます。さらに、かれの影響は全ヨーロッパに広がりますし、その影響は日本にも及んでいます。東京大学の前身である帝国大学に、一八八七年（明治二〇年）、日本で初めて「史学科」が創設されますが、これを設置させ日本人研究者の指導・育成を行って「日本の近代歴史学の父」[3]（金井圓）とも呼ばれるドイツ人歴史家L・リースは、ランケ学派の一員でした。

このようにランケはドイツ歴史学をヨーロッパにおける指導的地位にまで導いただけでなく、世界にも広まったドイツ歴史学のかなめの位置を占める歴史家であり、こうして、

「歴史学の世紀」一九世紀の中心人物であったということができます。

「各時代は神に直接する」

このような役割を果たしたランケの歴史観・世界史観を最もコンパクトな形で伝えてくれるものに、『世界史概観』（一八五四年）があります。本書の「序説」にはかれの基本的歴史観が述べられていますが、そこで「歴史主義」がどのように語られているか、追っていくことにしましょう。かれの「歴史主義」的態度の表明は、歴史における「進歩（Fortschritt）」をどのように考えるべきかについての考察のなかで行われています。

ランケは、まず、歴史を「進歩」の過程と考える立場として、キリスト教的歴史観、啓蒙主義的歴史観の二つをあげます。そして両者がともに哲学的に間違っているし、歴史的にも実証できないと批判します。哲学的批判の紹介は省略しますが、ここで注意しなければならないのは、歴史的には実証できないとするかれの議論です。

ランケは、人類全体が一様に進歩するといったことは実証できないといいます。〈人類の大半が今なお原始状態にあり、出発点そのものにとどまっている。ここにおいていったい進歩とはなんぞや、どこに人類の進歩がみとめられるかという疑問が起こらないわけにはいかない〉（鈴木成高・相原信作訳『世界史概観』岩波文庫）

しかし他方、ヨーロッパ世界は世界史で特別の地位を有していると主張します。〈もっとも、ラテン風ゲルマン風民族の中に内在化された偉大なる史的発展(historische Entwicklung)の諸要素が存在する。彼等には確かに段階から段階へと発展する精神力が存在している。いなすべての歴史を通じて、人間精神がもついわば歴史力ともいうべきものがあることを否認することができない。それは原始時代に樹立せられ、ある恒常性をもってたえず継続している一つの運動である。しかるにこの世界史的運動に参加するものは、人類全体の中において、わずかに一つの住民体系があるだけにすぎない〉(啓蒙主義的な「進歩(Fortschritt)」ではなく歴史主義者が好む、「段階から段階」への「発展(Entwicklung)」の語を使用していることにも注意してください)

これに対しアジアはどうか。

〈われわれはそこに文化が発生していたこと、またこの大陸がいくつかの文化段階(Kulturepochen)を持っていたことを知っている。しかるにそこでは、歴史の動きは、全体としてむしろ退行的であった。アジア文化においては、最古の時期(Epoche)がかえって全盛期であって、ギリシア的要素やローマ的要素の盛期にあたる第二第三の時期には、すでにそれは大したものではなくなっていた。そして蛮族——蒙古族——の侵入とともに、アジアの文化はまったく終末を告げたのである〉

かれは、「ラテン風ゲルマン風民族」つまり西ヨーロッパでのみ「いくつかの文化段階」が実現しているが、アジアでは停滞どころかむしろ退行していること、さらに、なお「原始状態」にある地域も多くあることを主張します。この点では、ランケも、一九世紀ヨーロッパに共通の「近代的な三重構造の世界」を受け入れていることになります。そしてこんどはそれを根拠に、返す刀で、キリスト教的歴史や啓蒙主義的歴史のいう人類の「進歩」などはこうした歴史的事実に反しており、実証できないと批判しているのです。

それでは、かれは歴史に「進歩」を認めないのでしょうか。そうではありません。上の引用にもあるように、ヨーロッパのみは「進歩」を実現したと考えています。ただし、それはキリスト教的歴史観や啓蒙主義的歴史観における「進歩 (Fortschritt)」とは意味が違っています。というのは、かれは、このヨーロッパでは、例えば美術の分野を見ると、それは一五世紀と一六世紀前半に極度に栄えたが一七世紀末と一八世紀の四分の三の時期には極度に衰えたのが実際の流れであり、他方、この美術が衰えた一六世紀後半には宗教的要素が圧倒的だったし、一八世紀になると実用主義的活動が主流となると指摘します。つまり、「進歩」を実現したヨーロッパでも、全分野が恒常的かつ一様に「進歩」したとはいえないのが実際であること、そして時代によって強く働く要素＝その時代に固有な「指導的理念」または「その時代における支配的な傾向」が異なることを指摘します。そこで、こうしたことを踏まえ、ランケはかれなりに「進歩」を定義して次のようにいいます。

〈人類の各時代（Epoche）には、一定の著大な傾向が現れている。そして進歩とは、各時期（Periode）において人間精神のある働きが現われ、あるときにはこの傾向を、またあるときには彼《か》の傾向を顕著ならしめ、それにおいて独自な姿を提示するというところに存するのである。〔中略〕私は主張する。各時代は神に直接するものであり、その価値はそれから派生してくるものが何であるかにかかるのではなくて、それの存在そのもの、当のそのもの自体のなかに存するものであると〉

　このランケの「各時代は神に直接する（jede Generation unmittelbar zu Gott ist）」という言葉もまた、かれの歴史観を表した言葉としてよく引用されるものです。他の場所では「神の前においては人類のどの時代も、すべて平等の権利を持つ」とも表現しています。これらの言葉は、敬虔なプロテスタントであったランケらしい衣をまとってはいますが、上で見た「歴史主義」の考え方そのものの表現であることは明らかでしょう。そしてかれのいう「進歩」の内容が、啓蒙主義的な、「量的増大」という意味での「進歩（Fortschritt）」ではなく、「段階から段階への発展（Entwicklung）」としての「進歩」であり、上で述べた質的発展段階論の意味でのそれであることも、また明らかでしょう。ランケは、こうして、「科学的歴史学」の開拓者であっただけでなく、歴史研究の根本に「歴史主義」を置いた歴史家であったという意味で、「歴史主義の完成者」でもあったのです。

科学的世界史

ランケはこのような議論や膨大な著作を通じて、メランヒトン以来発展してきたドイツの歴史学の地位をさらに固め、とりわけ歴史記述の基礎に厳密な「史料批判」によって確定された事実を置くことにより、「人文科学」の一員としての地位を確立させました。

言語で記された文書について歴史家が解釈を行い、言語を使用して記述するということが、歴史の特徴の一つです。ここから、一方では、歴史には文学と共通した特質があり、また、必然的に歴史家の個性的主観や歴史家を取り巻く時代の特定の考え方が歴史に関与します。この点で、歴史学は自然科学とは大きく性質を異にしているといえます。歴史学については、このように個人的・時代的な主観性を免れることができないことや、また根本的には言語世界における活動であるという側面からくる制約を見落としてはなりません。しかし他方で、歴史学が過去の「事実」を基礎としていること、そしてその「事実」の解明とその認識の客観性を確保する方法が、エックス線の使用その他、今日なお発展しつつあることも見落としてはならないと思います。そして、このような今日に至る歴史学の発展の出発点に立っているのがランケでした。こうした意味で、一八世紀までの歴史学に対し、一九世紀の歴史学を「科学的歴史学」と特徴づけることができると考えます。

このように、一九世紀の歴史学の特徴を一言で「科学的歴史学」と表現することができますが、そこではどのような世界史が記述されたのでしょうか。

ここではまず、そうした「科学的歴史学」による記述の古典となっている、ランケの『世界史概観』をあらためてとりあげ、ランケの具体的な世界史像を見てみましょう。

まず最初に、本書の構成を、目次で見ておきます。

第四節　教権時代（一一世紀から一三世紀まで）
一、法王権の皇帝権からの解放
二、十字軍
三、法王権による俗権の圧服
第五節　第五期（一四世紀及び一五世紀）
第六節　宗教改革及び宗教戦争の時代（一五世紀末より一七世紀中葉まで）
第七節　列強の成立発展の時代（一七、一八世紀）
第八節　革命の時代
一、君主制的傾向の形成
二、北アメリカの革命
三、フランス革命
四、ナポレオン時代
五、立憲的時代

最初に時代区分の特徴から見ることにします。この目次を見て気がつくことは、古代・中世・近代という時代区分の名称が、目次には現れていないことです。実際に、本書で重要な意味を持っているのが、「時代（PeriodeまたはEpoche）」です。具体的に見ると、三区分法で「古代」とされるローマ帝国の時代を第一期として「時代」を数え始めています。そして本書全体の記述は、この第一期から一九世紀まで、目次の「節」に対応する八つの「時代」に分けて語られています。そして各「時代」おのおのについてその時代の「指導的理念」が議論されていますから、この八つの「時代」こそ、「各時代は神に直接する」と述べた「時代」にほかならないと考えることができます。

しかしそれでは、啓蒙主義的世界史が広めた古代・中世・近代という三区分法をランケは否定しているのでしょうか。そうではありません。回数は多くないにしても、実際にこれらの時代名称が使用されているからです。このような事情からランケの時代区分について今日まで様々に議論されてきたのですが、ここでは、私の考えを簡単に述べます。

本書第一節冒頭に、古代全体と他の時代との関係についての、有名な言葉があります。

〈一切の古代史（alte Geschichte）は、いわば一つの湖に注ぐ流れとなってローマ史の中に注ぎ、neuere Geschichteの全体は、ローマ史の中から再び流れ出るということができる。私はあえて、もしローマ人がいなかったならば歴史の全体が無価値なものとなっていたであろうといいたい〉

一部原語を残しました。この語は「近世」と訳されたりしますが、実は適切な日本語がないのです。ランケは別に中世（Mittelalter）、近代（neue Zeit, moderne Zeit）も使用しており、この中世と近代を合わせた時代について「neuere Zeit」を使用しています。無理して訳すとすれば「中・近世史」とでも訳すのが適当と思います。つまり、ランケにおいては、三区分法よりは、古代と「中・近世」に大きく区分する、二分法が優先していたのです。このことと八つの「時代（Epoche）」とを関係させて整理すると、次のようになります。

古代——その最後の「時代」がローマ ↓ 本書第一節
中・近世《neuere Zeit》
　中世——四つの「時代」からなる ↓ 本書第二〜五節
　近代——三つの「時代」からなる ↓ 本書第六〜八節

なお、この二分法は当時ロマン派も使用していました。フリードリヒ・シュレーゲルは、『Über die neuere Geschichte』（一八〇八年）で、ゲルマン民族移動の時代から一九世紀初頭までをランケと同じ時代名で呼び、古代と区別しています。それを中世と近代とに下位区分することも同様です。また、ドイツの大学では、現在も、専攻分野について「中世・近代」とひとくくりにした表示が行われていますが[3]、このような慣行は、ランケの時代区分の影響が歴史学研究の組織の形で残ったものとわたしは考えています。

一九世紀西欧的世界史像の基礎

以上が、時代区分の面から見た、ランケの『世界史概観』の構想です。これからかれの記述をもう少し具体的に追っていくことにしましょう。

まず、「古代」です。かれはローマ帝国という「湖」に「一切の古代史」が流れ込むといっています。具体的には、宗教、政治、文化の三側面にランケは整理します。宗教ではユダヤ人の一神教とエジプト、アッシリア、バビロニアなどの多神教との対立、政治ではギリシア人の共和主義的原理とペルシアの巨大な集権的王政の原理との対立、文化ではギリシア文化、以上の三要素がローマに流れ込み、これを受け継いだローマによってすべてに一定の解決、改変が与えられ、普遍的性格を与えられたとしています。宗教上の対立は世界宗教であるキリスト教の成立により、政治的対立はローマにおける「プリンケプス政治」によって解決され、ギリシア文化は「普遍的な世界文学」に高められます。

〈ローマが生み出した産物はつぎのようなものである。第一、普遍的な世界文学、第二、ローマ法を普遍的な法にまで作り上げたこと、第三、君主制の体制を作り上げ、これと関連して周到な行政組織を作り上げたこと、第四、キリスト教会を支配的地位にまで高めたこと〉

ランケは、ローマ帝国の時代を、古代のさまざまな要素をとりまとめてそれに普遍的性格を与え、さらに自らローマ法などを付け加えて「古代」を締めくくった時代とし、この意味で世界史における画期となったと考えるのです。今日、西ヨーロッパ世界の文明的基礎として、ギリシア・ローマの古典文化、ローマ法（ローマの帝権）、キリスト教の三要素が挙げられますが、かれの議論はこれと一致しています。そして、こうした要素はその普遍的性格ゆえに一部アラビア人にも継承されるが、しかし、何よりもそれが西方に広がったことによって、後の西ヨーロッパの「発展」の基礎となったと考えているわけです。

次の時代は八世紀半ばまでです。「ラテン風ゲルマン風」世界が、ローマ文化とゲルマン文化の融合によって、「東方に対して独立せる一つの世界を形成することとなった」時代です。これは今日の高等学校の世界史でも、地中海世界が崩壊し、西ヨーロッパ世界、東ヨーロッパ世界が成立する時代として記述される内容に一致します。

第三の時代（八世紀半ばから一一世紀半ばまで）は、カール大帝が西ローマ皇帝の帝位を継承し、かれによってヨーロッパ世界の内実が整えられた時代です。大帝により西ヨーロッパ特有の教会と国家の分離・連携の形が整えられると同時に、諸国民の形成もスタートし、また諸国民の集合体としてのヨーロッパ世界とその文化に出発点が与えられたとされています。そして帝の事業を継承したものとしてドイツ諸皇帝が位置づけられます。

第四期（一一～一三世紀）は、教皇権が皇帝権を凌駕し、十字軍を派遣したり各国の君主の選出にも干渉するなど、ヨーロッパ世界を指導した時代です。

他方、東方ではこの時代、「極度の野蛮に陥ってしまった」とされます。アラビア人はローマ文化を継承するだけの「開化能力」を持っていたが、その後をついだのが「野蛮なるトルコ人」だったからだといっています。そしてその後のモンゴル人の活動とも相まって、アジアでは「野蛮の理想」が実現し、しかも「当時の東洋に瀰漫《びまん》していた野蛮は、現今においてもなお支配を続けている」としています。

第五期は、中世的な諸要素の「一般的崩壊」の時代、同時にそのなかで各国の王権が次第に伸張し始める時代です。ランケは教皇権の没落と各国における王権の伸張の様子や、こうした変化に伴う社会的・政治的混乱を記述しています。ここまでが「中世」です。

第六期からは「近代」が始まります。その最初の段階は一五世紀末から一七世紀半ばまでとされています。ルネサンス、印刷術の発明、新大陸発見などが行われた時代ですが、全体として宗教改革・宗教戦争を中心に動いた時代です。しかし、その中で王権が大きく成長したことが特徴とされ、その具体的歩みが各国別に記述されます。

第七期（一七～一八世紀半ば）については、表題通り「列強」が成立した時代として描かれます。おのおの個性の異なるフランス、イギリス、ロシア、オーストリア、プロイセンが成立したとして、その強国としての地位とその個性が確立する過程が述べられます。

第八期は一八世紀後半からランケにおける「現在」までですが、これをランケは「革命の時代」と特徴づけています。これまでヨーロッパを支配してきた君主政の原理に対し、アメリカの独立革命によってこれに対立する共和政の原理が登場しました。共和政の原理は、以後フランス革命やナポレオン時代、二月革命などを通じて広がり、なお現在も二つの原理の戦いが続いているとしています。しかもこの期間は、同時に、列強間の対立抗争が激化してきた時代でもあります。ランケは「各列強は未だ自己の真の位置を見いだしていないのであって、従って我々はなお幾多の危険な内的及び外的闘争を覚悟しなければならない」と自己の時代について語り、そして未来について、「やがて再び合理的な状態が生み出されるであろうとの希望」を表明して、本書を終えています。

ランケが一九世紀半ばに提出した『世界史概観』は、実際にはほとんどが西ヨーロッパの政治史で占められています。しかしそれは、史料批判を通じて確認された厳正な事実と発展段階論とに基づいて叙述されており、かれの西ヨーロッパの発展史は、今日なお西ヨーロッパ史記述の基礎として生きているといえます。ここで記述された諸事件や、またそれら諸事件の歴史的位置づけは、上の要約で気づいていただけたと思いますが、今日なお日本の高等学校世界史教科書でも、多くが受け継がれています。

ただしここでまた、ランケの記述が、文化が「むしろ退行的であった」アジアや「今なお原始状態にある」人類の大半部分、つまり「世界」を組み込んでいたことを、思い出すことが必要でしょう。それは、歴史主義、発展段階論に裏打ちされた、一つの「科学的世界史」でもあったのです。かれの「科学的世界史」は一九世紀後半に何点かの修正をうけることになりますが、ランケの世界史像は、こうして、一九世紀西欧的世界史像の基礎を与え、一九世紀後半におけるその完成を準備したものと位置づけることができます。

2――マルクスの世界史像

史的唯物論の定式

カール・マルクス(一八一八〜八三)は、何よりも、共産主義の実現を目指し、その運動に生涯を捧げた革命家でした。かれの「史的唯物論」も、革命の正当性と必然性を論証する理論活動の一環として提出されたものです。しかしそこでは、緻密な歴史理論と壮大な世界史像が提出されていました。ここではその一部しか見ることができませんが、かれの理論が世界に与えた影響の大きさを考えると、かれを通り過ぎるわけにはいきません。

マルクスは、『経済学批判』(一八五九年)の有名な「序言」で、「私にとって明らかとなった、そしてひとたび自分のものになってからは私の研究にとって導きの糸として役だった一般的結論」として、以下のような「定式」を記述しています。

マルクスは、社会を一つの構造体と考えます。それは「(経済的)社会構成体」と呼ばれますが、まず、それを構成する諸要素、それら構成要素間の関係について述べます。

〈人間は、彼らの生活の社会的生産において、一定の、必然的な、彼らの意志から独立した生産関係に、すなわち、彼らの物質的生産諸力の一定の発展段階に対応する生産諸関係にはいる。これらの生産諸関係の総体は、社会の経済的構造を形成する。これが実在的土台であり、その上に一つの法律的および政治的上部構造がそびえ立ち、そしてそれに一定の社会的諸意識形態が対応する。物質的生活の生産様式が、社会的、政治的および精神的生活過程一般を制約する〉(杉本俊朗訳『マルクス＝エンゲルス全集』第一三巻、大月書店所収)

次に、ある社会構成体から別の社会構成体への移行(「社会革命」)について。

〈社会の物質的生産諸力は、その発展のある段階で、それらがそれまでその内部で運動してきた既存の生産諸関係と、あるいはそれの法律的表現にすぎないものである所有関係と矛盾するようになる。これらの諸関係は、生産諸力の発展諸形態からその桎梏《しっこく》に一変する。そのときに社会革命の時期が始まる。経済的基礎の変化とともに、巨大な上部構造全体が、あるいは徐々に、あるいは急激にくつがえる。このような諸変革の考察にあたっては、経済的生産諸条件における物質的な、自然科学的に正確に確認できる変革と、それで人間がこの衝突を意識するようになり、これとたたかって決着をつけるところの法律的な、政治的な、宗教的な、芸術的または哲学的形態、簡単に言えばイデオロギー的形態とをつねに区別しなければならない。〔中略〕このような変革の時期をその時期の意識形態から判断できないのであって、むしろこの意識を物質的生活の諸矛盾から、社会的生産諸力と生産関係との間に現存する衝突から説明しなければならない。

一つの社会構成は、それが生産諸力にとって十分の余地をもち、この生産諸力がすべて発展しきるまでは、けっして没落するものではなく、新しい、さらに高度の生産諸関係は、その物質的存在条件が古い社会自体の胎内で孵化《ふか》されてしまうまでは、けっして古いものにとって代わることはない。〔後略〕〉

最後に、歴史上存在した生産様式の種類について、四種を挙げます。

〈大づかみにいって、アジア的、古代的、封建的および近代ブルジョア的生産様式が経済的社会構成体のあいつぐ諸時期として表示されうる〉

マルクスは、この「近代ブルジョア的生産様式」をもって「人間社会の前史は終わる」としています。それは、これら四つの生産様式においてはいずれも歴史は階級闘争の歴史として現れるが、この最後の生産様式を変革するのが労働者階級（プロレタリアート）による共産主義革命であって、それ以後は、階級闘争のない、歴史的には全く異なった段階の時代を迎えることになると考えているからです。

所有と共同体の形態を基礎とする発展段階区分

世界史記述をテーマとしているここでは、マルクスのいう「アジア的、古代的、封建的および近代ブルジョア的生産様式」がおのおのいかなる内容を持っているか、またそれらが相互にどのような関係を有しているかについて、もう少し調べておかなければなりません。その場合最も参考になるのは、マルクスが『経済学批判』を公表する直前に書いていた、『資本制生産に先行する諸形態』（一八五七〜五八年）です。

本書でマルクスは、資本制生産以前の歴史を、生産者を社会的に規制ないし保護するものとしての**共同体**および**所有形態**の相違によって区別し、整理しています。この視点は、資本制生産がもつ独自な性質の観察から導き出されたものです。かれは資本制生産の特徴を「自由な労働と貨幣の交換」としますが、このうち、貨幣は古来存在したものですから、結局、歴史的に見て「自由な労働」こそが根本的特徴となります。ここでいう「自由」とは、生産者の、①社会的規制からの自由、②労働手段所有からの自由（労働手段を所有しないということ。近代のプロレタリアート、賃労働者）を意味します。このことは、逆に言えば、資本制生産以前の段階では、生産者が、①′何らかの社会的規制を受けており、②′何らかの形で生産手段と結合(＝所有)していた、ということになります。ここから、生産者を社会的に規制するものとしての共同体と、生産者と生産手段の結合＝所有の形態とによって、過去の生産のあり方を区分するという視点が導き出されたわけです。

「共同体」は、人類の歴史のなかでは所有そのものより古いとマルクスは考えます。農業が開始されて所有が発生する前の段階、それをマルクスは「遊牧」の段階と考えていますが、そこでは「自然発生的共同体」として血縁関係を組織原理とする「種族共同体」があり、それがその段階の人々を拘束すると同時に人々の生存を保証していました。こうした人々が農耕を開始したことで土地との固定的な関係が発生し、所有が開始されるのですが、その開始にあたっては、当然、諸個人をこれまで何らかの形で拘束していた「共同体」が、所有そのものに深く関わってきます。こうして、所有が発生した初期の段階(＝「本源的形態」)では、何らかの形で「共同所有」の形が広く行われると説明されます。

資本主義段階以前の所有、およびそれと結合している共同体については、「**本源的形態**」と「**二次的形態**」の二段階に区分されます。また所有の「本源的」なあり方については「東洋の共同体的土地所有」、「ギリシア・ローマ的(古典古代的)土地所有」、「ゲルマン的土地所有」の三類型に分けられます(**表6**)。「所有の二次的形態」とは、「本源的形態」から

表6 『資本制生産に先行する諸形態』(マルクス)

所有の本源的形態 1. 所有対象は土地 2. 生産者と生産手段が結合
3. 共同体の役割;土地所有に対する保証と規制
4. 生産の目的;共同体及び共同体員の再生産

	東洋の共同体的土地所有	ギリシア・ローマ的土地所有	ゲルマン的土地所有
所有形態	共同体所有 私的所有なし	共同体的土地所有と私的所有が対立	私的所有が主で、共同体的所有が補完
共同体	村落共同体	都市	部族
経済単位	村	都市(農民の集住地)	家
分業	手工業と農業が結合	農村と都市の分業なし(都市の農村化)	初期は分業未発達 →都市との分業発生
総括的統一体	小宇宙的村落	都市	自由な小土地所有者の集会

⇩ ⇩ ⇩

所有の二次的形態 1. 所有対象の分化;土地以外の労働手段も所有対象に
2. この労働手段には人間も含まれる=階級支配(奴隷制及び農奴制)
3. ただしここでも生産者と生産手段が結合
4. 共同体の役割;所有の保証と規制。共同体は人為的な二次的共同体
5. 生産の目的;商品生産ではなく、共同体及び共同体員の再生産

国家	東洋的専制君主政	都市国家	封建(身分制)国家
所有形態	国土王有	市民が土地と奴隷(=生産者)を所有	a. 都市;手工業者(土地外の労働手段所有) b. 農村;領主が土地及び土地と結合した生産者(農奴)を所有
共同体	君主所有下の村落共同体	市民(=奴隷所有者)の共同体	a.都市;ギルド b.農村;村落共同体
階級支配	全般(総体)的奴隷制	奴隷制	農奴制

(近代世界)⇦ (西 欧 で の み 実 現) ⇩

世界市場 ⇦ 資本主義的生産様式 ⇦ 本源的蓄積 ⇦ 独立自営農民

生まれてきた、国家や階級支配と結びついている所有をいいます。したがって、本源的形態の相違によって、国家・階級支配の類型も三つになります。これらすべての類型において、共同体は、その形こそ変わるものの、果たす役割は同じです。それぞれの類型の所有は、それに対応する共同体に所属している構成員にのみ保証され、この意味で、共同体は、所有を規制すると同時に、所有を保証するものでもあります。現代のわたしたちには、何らかの共同体に属するかどうかは、一生を生きていくことと特に関係はないといえます。しかし資本制生産以前の段階では何らかの共同体に属していないと生存が保証されないことになり、それは人間にとって根本的意味を有していたと主張されているわけです。

また三種の所有の本源的形態は、時系列から見れば古い順に並べられているだけでなく、私的所有が存在しないアジアの場合から私的所有が主となるゲルマン的形態まで、私的所有の発展の度合いが強まっていきます。それに応じて共同所有の度合いが弱まっていきます。ここから、三つの異なる発展段階と見ることができます。したがって、これらおのおのを基礎として成立する国家段階の三種の二次的形態も、時系列から見れば古い順ということになり、同時に、三つの異なった発展段階を示していることにもなります。

この三つの段階は、見方を変えれば人間の「自由」の発展段階と考えることができます。共同所有の度合いは、共同体に属する個人への拘束力の度合いを示しているからです。共同体所有しか見られないアジアでは、個人が自立する条件がほとんど与えられていません。このように共同体的規制の強力なところでは、個人の自由な活動に基づいて文化が発展することもできません。他方ギリシア・ローマにおいては共同体員に一定の私的所有が認められますし、ゲルマン的形態においては共同体員はほとんど経済的に自立しているに近い状態です。それだけ、共同体員の自由や文化発展の基礎が拡大していることになります。

次に引用するのは、ヘーゲルの『歴史哲学講義』の一節です。

〈東洋は過去から現在に至るまで、ひとりが自由であることを認識するにすぎず、ギリシアとローマの世界は特定の人々が自由だと認識し、ゲルマン世界は万人が自由であることを認識します。したがって、世界史に見られる第一の政治形態は専制政治であり、第二が民主制および貴族制、第三が君主制です〉(長谷川宏訳、岩波文庫)

自由の発展に関するヘーゲルとマルクスの段階的区別には、共通性が見られます。これは偶然ではありません。マルクスは思想的には「青年ヘーゲル派」から出発しているからです。ヘーゲルは観念論の立場から「世界精神」の自己展開の過程として三段階を区別しましたが、それは同時に「自由」の発展過程でもあります。マルクスはやがてヘーゲルの観念論の立場を否定し、唯物論の立場から歴史を見るようになります。しかし観点が百八十度転換したにもかかわらず、そこで示される三段階のほうはなおヘーゲルと同じであることには、出発点で影響を受けたということ以上の、何らかの意味があると思われます。

マルクスのアジア観

つぎに、このマルクスの記述と、先の『経済学批判』序言の記述とを重ねると、どのような世界史像が見られることになるのでしょうか。

まず「**アジア的生産様式**」ですが、これは「東洋の共同体的土地所有」およびそれを基礎として成立した「東洋的専制君主政」と重なることは明らかでしょう。マルクスは、共同体的土地所有の具体像を、インドの例をモデルとして分析しています。また、インドだけでなく古代のペルシアや中国にも、この議論を適用していきます。この「東洋の共同体的土地所有」では、土地所有者は「村」という共同体です。そして農民たちは、村落共同体に所属しているかぎりで、村から耕作地を配分されて耕作し、これによって生きていきます。また農民たちは手工業にも携わっており、こうしてこの村落共同体は「自給自足的小宇宙」をなしていたとされます。東洋では、経済的にも社会的にも、村落共同体が自立的な単位となっているわけです。またここでは、共同所有という形ではあっても生産者と土地が結びついており、資本主義社会のような「自由な労働」は存在しません。

こうした「東洋の共同体的土地所有」が「二次的形態」に移るのは、君主が出現することによります。もともとここでは私的所有はなく、共同体が所有者でしたが、この所有者としての共同体が一人の人間＝君主に置き換わることによって、それが生じます。その結果が、東洋で見られる国土王有の原則ということになります。ここでは、それまでの農民はもとの村落に住んで生業を続けますから、この点では従来と生活の形は変わりません。しかし今まで「村」が所有者であった土地が君主のものとされ、さらに農民自身はこの君主の所有物とされて君主への貢納を強制されることになります。これをマルクスは「全般的奴隷制」（総体的奴隷制などとも訳されます）と呼んでいます。

このように「アジア的生産様式」は、奴隷制度の一種である以上、それは、つぎの「ギリシア・ローマ的生産様式」と同じ歴史的段階、つまり「古代」に属すると解されます。この点では、マルクスは、モンテスキューの「政治的奴隷制」、「市民的奴隷制」に関する議論（一五五頁）の後継者でもあると考えられます。またマルクスにおいては、モンテスキュー同様、この専制君主政と全般的奴隷制は、単にヨーロッパの歴史より古いだけでなく、一九世紀までアジアを支配した政治的・社会的原理でもあります。アジアは、やはりマルクスにとっても、「停滞社会」なのです。ただし、モンテスキューはこの「停滞」の原因を「風土」に求めましたが、マルクスはアジアにおける「共同体」あるいは「共同体的土地所有」の不変性に、その原因を求めていることになります。

つぎに、「**古代的生産様式**」は、「ギリシア・ローマ的土地所有」およびその二次的形態である都市国家の段階を含み、そして「**封建的生産様式**」も、「ゲルマン的土地所有」およびその二次的形態である封建国家の段階を含むと考えてよいと思われます。これらはいずれもヨーロッパの「古代」および「中世」で発生・展開を見た生産様式です。また、ここで行われていた奴隷制と農奴制の下でも、資本主義社会におけるような「自由な労働」は存在しませんでした。生産者である奴隷と農奴は、自身は主人によって生産手段の一部として所有されるという形でですが、土地と結びついていたからです。

それでは「自由な労働」はどこから出てくるのでしょうか。マルクスは、それは中世の封建国家が起点になるとしています。具体的にいえば、都市が発生したことです。東洋でもギリシア・ローマでも都市は存在しましたが、それは生産における分業とは関係ありませんでした。東洋の都市は支配者＝消費者の駐屯する場所であり、ギリシア・ローマでは農民の集住地でした（「都市の農村化」）。これに対し、封建国家のもとで初めて生産における分業として都市が成立し、手工業者による商品生産が開始されます。そして商品経済がこの都市から農村にも広まりました（「農村の都市化」）。

また農業については、もともと強い自立性（＝自由）を有していた農民たちは、いったん農奴に落とされますがしかしそこでも一定の自立性は維持します。そしてそのことが、農奴の経済力の上昇からその解放の原因になるとされます。一五世紀頃、こうして起こった農奴解放の結果、耕作する土地を所有する、**独立自営農民**が現れます。イギリスのヨーマンと呼ばれた自営農たちがその典型ですが、この自営農たちが、おりから西欧で広まっていた商品経済と競争の広がりのなかで、**経済的分解**に直面します。一方に富（＝貨幣）を蓄積した者が生まれてきます。しかし他方、零落して生産手段である土地を失った者＝生産手段から切り離された「自由な労働」が発生します。この歴史上初めて起こった、生産手段を所有しない「自由な労働」の形成を、マルクスは「**本源的蓄積**」と呼びました。そしてこうして形成された「自由な労働」と貨幣が交換される仕組み＝資本制生産が、一六世紀に農村で起こった工業（協業、マニュファクチュア）から、イギリスを先頭に開始されたとマルクスはいいます。

この運動は、さらに全世界を巻き込みます。西欧の資本主義は、**世界市場**を形成していく過程で、これまでに生まれ、存続してきたあらゆる形の「不自由な労働」（＝生産者と生産手段の結合の形）を解体して「自由な労働」を産み出し、同時に共同体的土地所有を破壊して、資本主義を支える私的所有の原理を貫徹していきます。マルクスにおける「近代」

は、こうして、ヨーロッパで発生した「**近代ブルジョア的生産様式**」が、世界になお残存している古い生産様式を次々と変革していく過程であり、同時に来たるべきプロレタリアートによる共産主義革命を準備する時代と位置づけられています。

以上、『経済学批判』と『資本制生産に先行する諸形態』を中心にマルクスの記述をまとめてみました。そこでは、時間的には国家発生以前の段階から現在までを含み、また空間的にもヨーロッパ世界のみならず「世界」を視野に入れた、しかも極めて論理的かつ体系的な世界史像が提出されています。マルクスとエンゲルスは、よく知られているように、自らの立場を「科学的社会主義」と規定しています。つまり、二人によれば、唯物史観による歴史学は、一つの科学なのです。またそれは、資本主義段階を通じて人間の普遍的解放(共産主義革命)への道が必然であることを示します。この歴史学によって示される歴史の段階的発展は、同時に歴史法則でもあると主張されます。

マルクスの世界史像は、啓蒙主義者やヘーゲル、ランケの世界史像と、観点も内容も全く異なっています。しかしその全体像は、啓蒙主義とも、とりわけ一九世紀のヘーゲル、ランケとも共通の構造を有しています。時代区分では、マルクスは古代・中世・近代の時代区分を採用しており、それはランケが使用したものと年代的に一致します。各時代の二次的形態の特徴は古代＝奴隷制、中世＝農奴制、近代＝賃労働制とされており、「発展段階論」的に区分されています。そしてその記述で示された必然性・法則性によって、つまり歴史によって、共産主義社会実現という思想の正当性に根拠が与えられています。

さらに具体的世界史像を外形的に大きくまとめてみるとどうなるでしょうか。アジア世界は「東洋的専制君主政」、「全般的奴隷制」という語で総括されています。それは古代アジアで発生し、一九世紀まで存続してきたものです。アジアは「停滞性」をもって刻印されています。これに対しヨーロッパは、古代のギリシア・ローマ時代、中世を経て進歩を実現し、自ら近代を産み出します。さらに近代を自ら産み出したヨーロッパは、「世界市場」形成の過程で、アジアの専制君主政（＝全般的奴隷制）を否定し、他の地域でもなお残存している所有の本源的諸形態、奴隷制、農奴制を破壊していきます。しかしこの破壊は、同時に「進歩」でもあります。資本制生産は、歴史上最高度の段階の生産力に対応する、最も進んだ生産様式だからです。ヨーロッパによって強制されたものであるとしても、アジアにおける近代化は、この意味で必然でもあると考えられています。

外形的に見ると、かれの世界史像も、ヘーゲル、ランケの世界史像とそれほど大きくは異なりません。マルクスの世界史像は、こうして、やはり一九世紀西欧的世界史像の一つであると位置づけることができるとわたしは考えています。

3――一九世紀に登場した世界史の新構成要素

一九世紀の「科学的世界史」は新たに「先史時代」を登場させ、また「古代」・「中世」像を革新して、近代的三区分法を確立します。ここでは、そうした事情を見ていきます。

「アダムの死」

一九世紀に登場した「先史時代」によって、世界史記述からアダムが完全に排除されます。聖書ではアダムは天地創造第六日に創造され、九三〇歳まで生きたとされています。「聖書年代学の父」ユリウス・アフリカヌスが普遍史を記述した三世紀から一八世紀まで、世界史記述の世界で、アダムは聖書が与えた年数より長く生き続けました。しかし一九世紀に入り、ついにアダムはその長い生を終えます。そしてアダムの死によってできた空席を埋めたのが、石器を使用し共同体（群れ）をなして生活する、化石人類でした。

世界史記述における「アダムの死」の先駆けをなしたのは啓蒙主義でした。なかでも、この問題で最も大きな影響を与えたのは、**ルソーの「自然状態」**と**「自然人」**に関する議論でした。当時まで、自然状態について考えるときに人々がまず頭に思い浮かべたのは、アダムや大洪水前の人々でした。ところがルソーは『人間不平等起原論』(一七五五年)で、聖書の記述も、またかれ以前の人々の自然状態に関する議論も、社会状態の人間の姿を投影しているだけで、自然状態は描かれていないと否定します。そのうえでルソーは、聖書ではなくて「事物の自然」(本田喜代治他訳、岩波文庫)に基づき、「最も確からしい憶測」を展開します。その結果かれは、社会状態に移行する以前の人間を、豊かな自然の中で孤立し、自然と直結して生きる、そして頑丈で健康な自然人、しかしまだ理性ではなく感性のみによって生きる人間として描きました。また、家族もなく言語もなく、したがって進歩もない状態、しかし、所有もなく、自由で不平等のない自然状態を描きだしたのです。

ルソーは、このように自然状態を人間の歴史のなかで実在した一つの歴史的状態と思わせる記述を行いますが、しかし他方、自然状態をあくまで合理的虚構だとも強調します。「もはや存在せず、おそらくは存在したことがなく、多分これからも存在しそうもない一つの状態」だといっています。このルソーの自然状態論は「ルソーのパラドックス」として様々な議論を呼びますが、一例としてカントの「人間歴史の憶測的起源」(一七八六年)があります。カントは自然状態に関してルソーとほぼ同様の記述を行っています。そしてかれもまた人類の歴史の始まりの議論で創造の奇蹟には触れず、したがってアダムとエヴァから歴史を始めないで、しかも全体を「憶測」として語っています。

他方、ルソー、カントの歴史哲学的考察とは別に、啓蒙主義歴史学では、文字発生以後の歴史時代の世界と、それ以前の「寓話・伝説的な世界」とが区別されていました。この「寓話・伝説的な世界」は、はるか遠い過去から近づいてくる「自然史」と、「古代」をさかのぼらせつつあった歴史学との間で挟撃される地位にありました（二四四頁）。

それでは、「自然史」のほうからは、啓蒙主義の段階でどこまで近づいてきていたのでしょうか。次の文章は、その「自然史」から提出された自然状態についての記述です。

〈かれらはまずヒスイなどの硬い石を斧《おの》の形に尖らせることから始めた。雷石と呼ばれるその種の石は、雷によって形成され、空から落ちてきたと信じられもしたが、実際には全くの自然の状態にあった人間が、技術を駆使して作り出した最初の遺物に他ならない〉

（ビュフォン、菅谷暁訳『自然の諸時期』法政大学出版局）

ビュフォンの『自然の諸時期』が出版されたのは一七七八年でした。かれは、地球誕生時の白熱状態を第一期とし、その後冷却する過程で海や大陸が形成され、また海生生物と陸生の動植物が発生したことを記述しながら、現在の状態に至るまでを七つの時期にわけて記述していました（二一五頁**表5**）。そして、この最後の第七期の始まる、現在から六〇〇〇〜八〇〇〇年前に「人間は最後に創造され」たといい、「人間が最初に定住した場所は、陸生動物の場合と同様にアジアの高地だったと思われる」と述べています。ただし、かれのえがく「自然状態」は、ルソーのそれとは異なって、火山の噴火や地震への恐怖、野獣の餌食となる恐怖にとりつかれた、極めて悲惨な状態です。そしてこのような状態から一刻も早く脱出するために人間は技術を発展させ、社会状態に移行するとかれは考えますが、上の記述は、こうして開始された技術発展の最初の一歩を記述したものでした。

石斧《せきふ》は日本でも「雷斧《らいふ》」、「雷斧石《らいふいし》」と称され、中国では「霹靂斧《へきれきふ》」と呼ばれたとのことで、奇《く》しくも東西世界で同一の発想から命名されています。石斧を人々が目にしたのは多くは雷雨のあとで、激しい雨で土砂が洗い流されて地上に顔を出したものを、雷がもたらしたと考えたのだろうといわれます。(4) こうした神秘的解釈からヨーロッパ人が抜け出すきっかけを与えたのは、「新大陸」での経験でした。一八世紀前半に「雷石の起源と用途について」(アントワーヌ・ド・ジュシュー、一七二三年)、「原初の時代の習俗と比較したアメリカの未開人の習俗」(ジョゼフ・フランソワ・ラフィトー、一七二四年)という二編の論文が発表されています。いずれもアメリカ先住民が使用している石器を実見したことが契機となっており、その結果、「雷石」は人間が制作した石器であり、しかも石器は「未開人」の道具であると同様、「原初の時代の習俗」でもあったと主張したものだったのです。上の引用文は、この議論を自然史のなかに取り込み、石器を最も初期の人間である、「自然状態」における人間が作り出した道具だと位置づけていることになります。ただし、ここから歴史時代に至る道筋に関するビュフォンの記述は抽象的で、ルソーやカントの「憶測」とそれほど距離があるとは思えません。ここから歴史時代までの具体的道のりは、まだ埋めるべき空白の時代として一九世紀に託されていたといえるでしょう。

聖書では、アダムはエデンの園ですでに言語を話し、神の似姿＝現世人と同じ姿を与えられていました。さらに、アダムの子カインは「土を耕す者」でノドという都市の建設者、カインに殺されることになるアベルは「羊を飼う者」でした。聖書では人類の初期の段階、ノアの大洪水以前の、アダムから第四章に出てくるレメクとその子供たちの時代までに、都市、農業、牧畜（遊牧）、青銅や鉄の冶金《やきん》術、芸術など、「文明」に関わる基本的な技芸や生活様式がすべて開始されたとされています。他方、石器などは出てきません。

ビュフォンの主張は、こうした聖書の記述がなお強力に人々を支配していたなかでのものであったことを忘れてはならないと思います。また、天地創造をキリスト紀元前四〇〇四年、ノアの大洪水を天地創造後一六五六年に置く、アッシャー（とボシュエ）の年代学が広く信じられていた時代であったことも、思い出しておきたいと思います。

石器時代

一九世紀にはいると、この石器の問題を含め、人類の古い時代が次第に具体的な姿で語られるようになります。その過程で最初に登場するのは、デンマークのコペンハーゲン博物館長として働いていたクリスティアン・**トムセン**（一七八八〜一八六五）です。かれはもとは商人でしたが早くから古銭学に興味を持ち、収集も行っていました。趣味を通じて得た学識と実務家としての能力を認められて、一八四九年、博物館長の地位につきます。そこでかれはそれまで博物館に集められた膨大な遺物を展示するために何らかの整理を行う必要に迫られたのですが、その整理にあたり、はじめて「**石器時代**」、「**青銅器時代**」、「**鉄器時代**」の区分法を案出したのです。この三区分法を公表したのは『北方古代文化研究入門』（一八三六年）においてでしたが、これによってかれは、今日も使用されている先史時代に関する三時期区分の創始者となりました。ただし、かれの「石器時代」は、まだノアの大洪水以後（＝新石器時代）にのみ適用されていたと紹介されています。(5)

続いて、**旧石器時代の発見**がフランス人ブーシェ・ド・**ペルト**（一七八八〜一八六八）によって行われます。かれは税関長の仕事を行うかたわら、地質学の研究に従事しました。余暇に訪れていたソンム河谷の砂利採石場で、かれは人夫たちが「ネコの舌」と呼んでいた**燧石**《フリント》に注意を引かれます。それは今日から見れば旧石器に属するハンドアックスだったのですが、メルクサイの骨などと共に発見されました。出土地層は、かれ自身も当時の通念通りにノアの洪水の堆積（＝洪積層）と考えていた地層でした。かれは、一八三九年、パリのアカデミーで、それが「人工品」であり、大洪水以前の、しかも非常に古いものだと主張しました。(6)その場では嘲笑されただけだといわれますが、その後の論争や出土例の増加のなかで次第にかれの考えを認める人々が増え、ついに、一八五九年の秋に行われたロンドンの学会とパリのアカデミーで、かれの主張が承認されるに至ります。発表から二〇年後にかれの主張がやっと学問的に認知されたわけですが、それは単に旧石器の研究が学問の世界で承認を得たというだけでなく、また、旧石器によって示される人類の歴史が、聖書の示すそれよりもっと古くまで延びていくことへの承認でもあったのです。

先史時代

この後、石器研究は地質学と連携して「層位学的方法」などを発展させながら、各国で急速に展開していきます。そしてそのなかで、**「先史時代」**の概念も確立していきます。この点で画期をもたらしたのが、イギリス人、**ジョン・ラボック**(一八三四〜一九一三)です。かれは銀行家、下院議員で、自然科学者でもありました。アリがもつ紫外光を見る能力の発見は、今日、モンシロチョウなど昆虫が同様の能力を持つことが発見される先駆けとなりました。「ジェントルマン理念」の体現者であるかれの人生論は日本でも広く読まれ、国会図書館には明治から平成までの二二種もの翻訳が収蔵されています。

こうした驚くべきマルチ人間だったかれの最大の名著とされるのが、一八六五年に刊行された『先史時代 (Pre-historic Times)』です。かれは本書で石器時代をさらに二期に分けました。打製石器・狩猟採集生活を特徴とする「旧石器時代」、磨製石器・農耕牧畜生活を特徴とする「新石器時代」です。本書は当時ベストセラーになり、その内容だけでなく、表題の「先史時代」という概念も広く受け入れられ、以後、「先史時代」という言葉が学術用語として広く世界で使用されるようになりました。また、かれは日本における「旧石器」の存在をめぐる議論にも、直接的影響を与えています。[7]

ここまで述べてきたのは、考古学のなかでも、今日「先史考古学」と呼ばれる学問分野の、ヨーロッパにおける発展のあらすじです。考古学自体は、上で出てきた人々がいずれもアマチュアとして研究していたことで示されているように、なお「専門家」の時代に入るには一九世紀末を待たなければなりません。しかし、このようにして、ヨーロッパでは一九世紀後半に至って「先史時代」の概念が確立し、人類史の最初の時代として、その地位を確立したといえます。そしてその時代は、旧石器時代と新石器時代を含む「石器時代」と、「青銅器時代」、「鉄器時代」に三区分され、この青銅器時代または鉄器時代において歴史時代につながることが示され、自然史と歴史時代の間が埋められるに至ったのです。

化石人類の発見

しかし、まだ石器を使用した「人間」の問題が残されています。この問題に対して一九世紀のヨーロッパが与えた解答が、**進化論**と、それがもたらした**化石人類の発見**です。

ダーウィンが『種の起原』を発表したのは、ペルトの説が英仏の学会で承認されたと同じ年、一八五九年でした。進化論が発表されたとき、周知のように、従来の聖書による人間の位置づけと真っ向から対立するものだったため、とりわけ宗教界から大きな批判や反対の声が挙がりました。その論争の過程を追うことはしませんが、ただ、「一八七〇年をすぎるころには、ほぼ各国の学界に、進化論の勢力がゆるぎないものとなった(8)」といわれています。進化論は、提出されてほぼ一〇年で、西欧で勝利をおさめたのです。

進化論は、本書のテーマとの関係では、それが化石人類の発見の前提となったという点で、重要な意味を持ちました。例えば、単系進化論を唱え、「個体発生は系統発生をくりかえす」という言葉で有名なE・H・ヘッケル(一八三四〜一九一九)は、『自然創造史』(一八六八年)で、ミッシング・リンクとして「ホモ・サピエンス」と類人猿の間に「愚かなヒト(*Homo stupides*)」と「言葉を持たぬ猿人(*Pithecanthropus alalus*)」を設定し、スンダ列島のどこかで発見されると予言しました。そしてこの予言を信じたオランダ人のデュボアが、まさにスンダ列島にあるジャワのトリニールで、一八九一年、ピテカントロプスを発見しました（*Pithecanthropus erectus*と命名し、発表したのは一八九四年）。

とはいえ、実際に発見された化石人骨について、それが人骨であると認められるには時間がかかりました。今日よく知られている化石人類について、その発見と、それが人骨の化石として承認された年を見てみましょう。

ネアンデルタール人　一八五六年（石切工夫）　↓　一九〇一年（シュワルベ）
クロマニョン人　一八六八年（鉄道工夫）　↓　一八七〇年代
ピテカントロプス　一八九四年（デュボア）　↓　北京原人発見以後
アウストラロピテクス　一九二五年（ダート）　↓　一九六〇年代
北京原人　一九二七年（ブラック）　↓　一九二七年

クロマニョン人はわたしたちと同じ「新人」ですから、その発見のあと直ちに古い人骨と判定されたのは不思議ではありません。しかし他の化石人類については、いずれも人骨であると認められるには、一九世紀を越え、二〇世紀を待たなければなりませんでした。その原因は、猿とヒトとの区別を何に置くかが定まっていなかったことにありました。

ネアンデルタール人は脳の容積こそ現代人より多いくらいですが、顔つきや頭骨の形態、四肢の骨が現代人とは大きく異なっていました。そこで発見当時、ヨーロッパの昔の野蛮人の骨とか、ナポレオン戦争で戦死したコサックの骨、白痴の骨などといった珍説が唱えられました。なかでも、当時病理学の権威であったフィルヒョーが、クル病と外傷を病み、そのうえ痛風にかかった老年者と断定したことが、認定を遅らせた大きな原因とされています。しかし、ピテカントロプス、アウストラロピテクスについては、つまずきの石となったのは、脳の容積でした。前者は現代人のおよそ三分の二、後者に至っては三分の一しかないからです。「知恵あるヒト（ホモ・サピエンス）」との人間規定を重視すれば、必然的に脳の容積に注目することになります。それが、これらの化石を前にして、人骨かどうかの判断に大きなためらいを生んだ原因と考えられます。

「脳」にこだわる考え方につけこんで引き起こされたのが、「ピルトダウン人事件」でした。イギリスの歯科医ドーソンが仕組んだといわれるこの事件では、一九一二年、一〇〇万年前の地層から現代人と同じ容積の脳をもつ「人骨」が「発見」されたのです。それは、一九五三年になってやっと暴かれたところでは、古いホモ・サピエンスの頭骨にオランウータンの下顎骨を巧妙に組み合わせたものでした。ピテカントロプスがヒトか否かが激しく争われていた当時、それより古く、しかも現代人と同じ脳容積をもつこの「化石」は、「曙人（エオアントロポス）」という立派な学名までつけられて多くの支持者を獲得しました。多くの概説書でも採用されましたが、その一例が、ゴードン・チャイルドです。かれは、オリエントを文明発祥の地として一元論的文明発生論を展開したことにより、今日では、ヨーロッパ中心史観に考古学的基礎を与えたと批判されてもいます。しかしかれは、一九世紀以来のヨーロッパ考古学を「新石器革命」、「都市革命」等の概念によって段階づけて整理・集大成し、考古学における古典学説を樹立した大考古学者でした。このようなチャイルドにしてなお、ピルトダウン人をうけいれていたほどだったのです。(9)

こうしたなかで**エンゲルス**が、一八七六年、「猿が人間になるさいの労働の役割」という論文を書いています。かれはそこで、「労働は、人間生活全体の第一の基本条件であって、しかも、ある意味では、労働が人間そのものをつくりだした」(『マルクス＝エンゲルス全集』大月書店)と述べています。そして、直立二足歩行について、「これをもって、猿から人間に移行するための決定的な一歩がふみだされた」(傍点は原著者)といっています。エンゲルスはヘッケルはよく読んでいましたが、この論文を書いたときは原人も猿人も発見されていない時代でした。このことを考えれば、驚くべき先駆的な論文であったことがわかります。現代では人類と猿との境界線は、脳ではなく、「二足直立歩行」に置かれているからです。しかし、世界の学界全体にこのような見解が一般化したのは、二〇世紀半ば以後のことなのです。(10) このように二足直立歩行を指標とするようになったことによって、アウストラロピテクスが人類の仲間と認められるようになったのです。

化石人類については、現在も絶えず「発見」が続いています。現在では、チンパンジーとヒトとはDNAでは九八・五%が一致しており、ヒトの祖先がチンパンジーとの共通祖先から分岐したのは五〇〇万年前で、以後、東アフリカの大地溝帯を舞台に、十数種のヒト科の化石人類が次々と出現したとされています。それ以後の歩みについては様々な見解がありますが、例えばネアンデルタール人とクロマニョン人が約一万年間共存していたように、時には何種かの化石人類が共存していた時代を経ながら、結局、ほぼ二〇万年前に東アフリカで出現したホモ・サピエンス一種のみを残して、他のすべてが絶滅したと考えられています。[11] また、最古の石器が出現するのは二五〇万年前であることから、自然石使用など、何らかの無石器文化の段階を設定する必要もあるかもしれません。それはともかく、こうして現在では、人類(ヒト科)の歴史は地球の歴史(自然史)とかたく結びついて語られています。こうした動きの出発点となったものこそ、進化論でした。さらに、詳しく述べる余裕はありませんが、考古学同様、一九世紀には民族学(人類学)も成立してきます。これらの諸学問の成果も受け継ぎながら、「先史時代」に生きた人間やその社会(共同体社会)、文化が、時とともにますます詳細に語られるようになりました。

エジプト史の革新

一九世紀になって世界史に新たな姿を現すことになった要素の第二は、一八世紀までとは全く一変した「古代」です。その変革の主な内容として、オリエント史の革新と、エーゲ文明の発見を含む、古代ギリシア史の革新の二つを挙げることができます。

まずオリエント史革新のうち、エジプト史の革新から見ましょう。**ナポレオン**はエジプト遠征中の一七九八年、「ピラミッドの戦い」にあたり、「兵士たちよ、このピラミッドの上から、四〇〇〇年の歴史が諸君を見おろしている」と述べて兵士を励ましました。ナポレオンは、エジプト史の開始を前二二〇〇年ころに置いていることになります。今日から見れば一〇〇〇年近くも短いのですが、この年号は一体どこからきたのでしょうか。

エジプト史は、古来その古さがヨーロッパ人を悩ませてきました。実は、中国史と並んでもう一つ、エジプト史も同じ問題を普遍史に突きつけていたのです。というのは、ルネサンスで復活し大きな権威をもつようになったヘロドトスは、『歴史』第二巻で、ミン(=メネス)から「セトス王」まで一万一三四〇年間としました。セトス王は、ヘロドトスの二〇〇年以上も前の王でした。また、これもルネサンス時代に「再生」した前三世紀のエジプト人マネトの『エジプト誌』は、メネスからアレクサンドロスのエジプト征服までを、現在も利用されている「古王国」、「中王国」、「新王国」の三期に区分し、この間、三一の王朝、年数も計五二六八年と八ヵ月という数値を残していました。

一方、普遍史の立場からは、聖書ではエジプト人はハム（ノアの子）の息子ミツライムの子孫ですから、メネスはノアの大洪水後の人物でなければなりません。また聖書にはヘブライ人の祖アブラハムのエジプト入りから始まり、モーセに率いられたイスラエルの民の「出エジプト」、王国建国後のエジプトとの関係など、エジプト史に関する多くの記述があります。例えば第二六王朝第二代のネコは、ヘロドトスではフェニキア人にアフリカ周航を行わせたファラオとして有名ですが、聖書の「列王紀下」では、ユダ王国の王ヨシヤを戦死させ、これにかわって傀儡《かいらい》としてヨヤキムを王位につけた「パロ」として記述されています。普遍史には、これらの聖書の描くエジプト史の記述と矛盾せず、しかも年代的にも聖書年代学の枠に収まるようにエジプト史を記述することが求められていたのです。

ところが、**表3**（一〇七頁）でわかるように、ノアの大洪水はギリシア語訳聖書ではイエス紀元前三〇二八年、ヘブライ語聖書では前二三三八年、またアッシャーの年代学では前二三四八年となります。ヘロドトスやマネトが正しいとすれば、メネスは聖書が与えたノアの大洪水より古いどころか、エジプト史は天地創造すらはるかに超える古い歴史を有することになってしまいます。しかし、当時の年代学者たちは、中国の歴史書の記述に対してと同様、ヘロドトスやマネトの記述を否定することができませんでした。そのため、古代の歴史家が与えた年代を普遍史（＝聖書年代学）と矛盾しないように理解することに、一八世紀までの多くの歴史家が取り組みました。ニュートンの『改訂古代王国年代学』（一七二八年）もエジプト史の短縮が主要テーマで、かれは極めて強引な議論を通じてメネスが王位についたのは前九四六年だったとし、聖書年代学の枠内にエジプト史を収めています。[12] ナポレオンの演説にあった年号はアッシャー年代学での大洪水の年号、前二三四八年よりは新しくなっています。ナポレオンが頭に浮かべていたのは、エジプト史を短縮して聖書年代学の枠内に収めている、何らかの普遍史記述だったとわたしは推測しています。

　エジプト史研究は、このように一九世紀以後とは方向が大きく異なっていました。ヘロドトスやマネトなど古代の歴史家の記述は利用するにしても、しかし基本に置かれているのは聖書の記述でした。そして古代の歴史家の記述を聖書（聖書年代学）と矛盾なく理解すること、有り体に言えばその枠内に収めるということが、研究の方向だったのです。

　ナポレオンは、他方で、エジプト史研究の革新に大きなきっかけを与えました。かれが率いていたエジプト遠征軍が、一七九九年八月上旬、ロゼッタにある要塞の補強工事中に、その後のエジプト史研究を一変させる大発見を行ったのです。「**ロゼッタ・ストーン**」のことです。ナポレオンの脱出後フランス軍がイギリス軍に降伏し、ロゼッタ・ストーンはイギリスの手に渡って現在は大英博物館に陳列されています。しかし、ナポレオンは、この碑文の写しと複製をパリの国立研究所に届けるよう命令していました。命令は実行され、そのおかげで碑文の研究を行うことができるようになったフランス人学者たちは、解読でイギリスに先んじようという強い執念のもと、研究に取り組みました。

ヒエログリフは、第一王朝の時代から三五〇〇年近くも使用され続けました。ヒエログリフによる最も新しい碑文は、フィーレ島で発見されたテオドシウス帝時代の紀元三九四年のものといわれます。[13] しかし、古代末には、誰も読めなくなりました。その後、とりわけルネサンス後にヒエログリフやエジプト文明への関心が高まり、解読に取り組んだ人々もいました。しかし、すべて失敗に終わっていましたが、このロゼッタ・ストーンの発見が契機となってついに解読が果たされます。英仏の学者たちが競って解読に取り組むなかで、一八二二年、解読に成功したのはフランス人、ジャン・フランソワ・**シャンポリオン**（一七九〇～一八三二）でした。こうして、かれによって「エジプト学」の出発点が築かれました。他方啓蒙主義によって普遍史的な時間の枠が取り去られていましたから、一九世紀には、始まりと終わりのある時間に縛られることもなく、考古学とも連携しながら、直接史料に基づいた科学的なエジプト史研究が始まったのでした。現在のエジプト史は、こうした一九世紀におけるエジプト史の革新の結果なのです。

アッシリア学の出発

一九世紀はまた、「アッシリア学」が出発した世紀でもあります。アッシリア学が成立する以前は、ヨーロッパ人は、キリスト教的普遍史の枠内でメソポタミアの歴史を見ていました。ヨーロッパ人にとって、メソポタミアは長らく旧約聖書で親しんだ「聖書地域《バイブルランド》」でした。「エデンの園」があったのも、ノアの大洪水があり、バベルの塔が建設されたのもこの地ですし、それを機に地上に広く諸民族が拡散していったのも、この地からでした。このようにメソポタミアの地は、聖書のえがく人類史の初期が展開する場所でしたし、普遍史も、アダムとエヴァ以後の人類史を聖書と寸分違わずに記述してきました。

また旧約聖書には、ヘブライ(ユダヤ)人の歴史とそれに関与してきた諸民族が記述されています。ヘブライ人の祖アブラハムが生まれたのは、メソポタミアの都市ウルでした。アブラハム以後族長たちに率いられていたヘブライ人たちは、やがてエジプトで奴隷として暮らします。その後かれらはモーセに率いられて「出エジプト」を行い、イスラエル王国を建設し、さらに南北二つの王国に分裂しますが、旧約聖書にはそのうちのイスラエル王国を滅ぼしたアッシリアも、その首都、「ヨナ書」で語られる「大きな町ニネヴェ」も記述されています。生き残ったユダ王国を滅ぼしてユダヤ人の「バビロン捕囚」を行ったネブカドネザル王のカルデア(新バビロニア)、捕囚から解放してくれたペルシアのキュロス大王、ユダヤ神殿の再建を援助したダレイオス一世も記述されています。また、「ダニエル書」は、カルデア以後を四つの世界帝国の継起する時代としています。アウグスティヌスは四つの世界帝国はアッシリア人、ペルシア人、ギリシア人、そしてローマ人の帝国としました。ただしこのうちアッシリアについては、かれは古代ギリシア人とローマ人が伝えたアッシリア史のほうを採用し、ニヌス以降の約一三〇〇年間のアッシリア史を記述しました（六四頁**表1**）。この普遍史の伝統は、曲折はあっても一八世紀まで受け継がれますから、ここでもまた、メソポタミアの歴史に対して現在のわたしたちと全く異なったパラダイムのもとで観察されていたといえます。

一方、「大航海時代」にはいると、メソポタミアの地に足を踏み入れたヨーロッパ人によって、遺跡などがヨーロッパに紹介されはじめます。元禄三（一六九〇）年に来日し、後に『日本誌』（一七二七年）を著してヨーロッパにおける日本研究の出発点となったエンゲルベルト・**ケンペル**（一六五一～一七一六）もその一人でした。かれは日本来訪に先立ち、一六八六年、ダレイオス一世（大王）の都ペルセポリスの遺跡を訪れて碑文を採録し、ヨーロッパに紹介しました。かれはその文字を「**楔形文字**」と呼び、この呼称の名付け親になっています。ただその後一〇〇年以上の間、それがペルセポリスの遺跡であることも、紹介された碑文が何語で記されているかについても、誰もわかりませんでした。

この碑文は三種の楔形文字（ペルシア語、エラム語、アッカド語）で書かれていたのですが、その第一種楔形文字をペルシア語アルファベットと考えて解読に成功したのが、ドイツ人G・F・グローテフェント（一七七五～一八五三）でした。一八〇二年のことです。かれがこのとき正しく確定したのは、まだ八個の音価でした。その後の諸研究を集大成したのが、やはり三種の楔形文字で記されているベヒストゥーン磨崖の碑文を研究した、イギリス人H・C・**ローリンソン**（一八一〇～九五）でした。かれは、「古代西アジア研究の最初の金字塔[14]」といわれる「ベヒストゥーンにおけるペルシア語楔形文字碑文」（一八四六年）により、ほとんどのペルシア語アルファベットを解読し終え、こうして、ペルシア史に関しては、一次史料に基づく研究が行えるようになりました。

その後ローリンソンは、かれが「バビロニア語」と呼んだ第三種楔形文字の解読に向かいます。おりしも一九世紀半ば頃には「大きな町」ニネヴェをめぐってイギリスとフランスの発掘競争が行われ、今日大英博物館やルーブル博物館などを飾っている、アッシリア時代の至宝が次々に発見されていきます。一八五〇年にはアッシュールバニパル王の宮殿で図書館が発見され、三万五〇〇〇点以上にのぼる粘土板文書も発見されていきます。ローリンソンはこうした新たな文書も利用しながら、バビロニア語・アッシリア語の文字解読を進めます（アッシリア語はバビロニア語の一方言なので、今日では両者を総称してアッカド語と呼ばれます）。かれはその言語がセム語であること、文字はアルファベットではなく音節文字であること、一つの文字が漢字のようにいくつかの音価と字義をも持つことなどを明らかにしながら、解読を進めました。この作業はかれの「第二の金字塔」(14)となり、忽然と古代メソポタミアの文明と歴史が出現することになりました。

アッシリア学の成立は一八五七年とされます。この年、イギリスの王立アジア協会が、ローリンソンとかれの競争者でもあったE・ヒンクス、J・オッペール、W・H・タルボットの計四名の研究者にティグラト・ピルセル一世の碑文を別々に翻訳させたところ、その解読が一致したことを公式に確認したのです。これによって解読の正しさが証明されてアッシリア学が成立します。その後、ドイツ人のE・シュラーデルの「アッシリア・バビロニアの楔形文字」(一八七二年)によって、アッシリア、バビロニアの文字と言語の研究が集大成され、解読に関する限り問題はなくなったといわれます。こうして、一九世紀初めにはまだ古代ギリシア人の伝説や聖書によってしか知られていなかったアッシリア、バビロニアの歴史も、一次史料によって研究できるようになったのです。

アッシュールバニパルの図書館から出土した粘土板文書は、大英博物館で「クユンジュク・コレクション」と呼ばれて、今日も研究が続けられています。それは、単にアッカド語の解読に役立っただけでなく、オリエント文化全般の研究に大きな役割を果たしてきました。例えば、一八七二年、G・スミス(一八四〇〜七六)がそのなかから「ノアの大洪水」に酷似したバビロニア伝説を発見して、ヨーロッパにセンセーションを起こしました。さらにそれは、これまで知られていなかった文明の発見をもたらしました。**シュメール人の文明**です。このコレクションには「字音表」と呼ばれる文書が含まれていたのですが、それは、未知の言語とアッカド語を対照させた、一種の辞典だったのです。

この辞典を研究し、未知の言語の正体を正しく推定したのはJ・オッペールでした。かれはアッカド語碑文によく出てくる「シュメールとアッカドの王」という呼称をヒントに、この未知の言語を「シュメール語」と呼んだのです。さらに、フランスのド・サルゼックが、一八七七年、テルローで初めてシュメール文化に属する都市遺跡（＝シュメール人都市国家ラガシュ）を発掘します。発掘は一九一一年まで続きますが、ここから出土した数万点にのぼるシュメール語の文書は、今日なお初期王朝期末のシュメール人社会を知るための、ほぼ唯一の文書となっています。こうして、一九世紀末にはシュメール文明の存在が明らかとなりました。シュメール語の解読も進められ、歴史もよみがえってきました。

二〇世紀にはいると、シュメール語研究の基礎を確立したP・A・ダイメルや『シュメール神殿都市』（一九二〇年）を著したA・シュナイダーにより、このラガシュ文書を基礎に、ダイメル＝シュナイダーの「古典学説＝神殿都市論」[15]が形成されます。この、「神殿経済」、「神殿共同体」を基礎としてえがかれたシュメール人都市国家の歴史像は、批判は受けながらも、今日なお基本学説として一定の有効性を保っています。

また二〇世紀には、ヒッタイト文字、ウガリット文字の発見と解読などが続き、「アッシリア学」はさらに広がります。「アッシリア学」は当初は文字通りアッシリアについての研究から出発したのですが、それは、このように、次々と古代オリエント諸民族の歴史を付け加えていき、オリエント史全体に研究領域が広がりました。今日では、一方では専門分化してシュメール学、ヒッタイト学などが独立した名称として使用されるようにもなってきました。しかし、他方でなお「アッシリア学」が楔形文字を使用する古代オリエントの言語や文明研究全体を総括する名称として使用されているのは、このような歴史があったからなのです。そしてこの過程でオリエント史が次々に明らかになり、一九世紀中に一八世紀までとはその内容が一変し、今日に至っているのです。

「古典古代」の観念

一九世紀には、**古代ギリシア史像の革新**も行われました。しかし、これについて述べる前に、一八世紀までの古代ギリシア史像を振り返っておきます。そこでは大きく二つの類型、つまり、普遍史と、啓蒙主義的世界史におけるそれとに区別されます。

普遍史では、まず、ギリシア人が世界史的役割を果たすのは、アレクサンドロス以後の時代です（表1、2、4を参照）。それはペルシア帝国の地位を引き継いだ第三の世界帝国として位置づけられ、記述されていました。それ以前のギリシア人の歴史は、この世界帝国時代のギリシア人（マケドニア人）の歴史の、いわば「前史」にすぎませんでした。

そして次に、その「前史」のなかで重要視され詳しく記述されたのは、シキュオン、アルゴス（ミケーネ）などの諸王国の時代でした。ここではアテネやスパルタは脇役です。上のいずれの王国も、アテネやスパルタよりも古い起源の伝承を持っていた国々だったからです。また、それらの国々の歴史にからませて、女神アテナやデュオニュソス、ヘラクレスなどが歴史上の人物として語られ、二度の大洪水やアルゴナウテースの遠征、トロイ戦争なども組み込まれています。他方、ペリクレスなどの人名は登場しません。つまり「古典古代」の時代ではなく、今日は「神話」として歴史書では全く扱われない対象に主要な関心が向けられ、しかもそれらを現実の歴史として記述していたわけです。

普遍史のギリシア史がこのような記述内容を持っていたのには、それなりの理由があります。まずアレクサンドロス以後のギリシア史が主要な記述対象となるのは、普遍史の基本的枠組みの一つである「四世界帝国論」に基づくことはいうまでもありません。もう一つの、古い神話時代の王国の方に関心が偏っている理由は、キリスト教の古さをローマ時代のギリシア人、ローマ人に示すためでした。古代のローマ人やギリシア人から、キリスト教は新興のうさんくさい宗教と見られていました。キリスト教徒は、これに対し自らの神の古さを証明し説得する必要があったわけです。そこでかれらは、旧約聖書の神とのつながりを強調します。旧約聖書によって、人類の誕生から現在まで、全世界をキリスト教の神が導いてきたことを示そうとします。普遍史は、この任務を負って生まれたのです。

アウグスティヌスは、ギリシア人とローマ人が自らの歴史の出発点であると信じていた王国時代を人類史の第三期、アブラハムの時代に開始されたものと位置づけ、人類史では新しいものであるとしました。これによって普遍史＝キリスト教の神による人類教育の枠組みに、ギリシア史、ローマ史も組み込まれていることを示し、同時に、キリスト教の「古さ」を示そうとしたのです。最も古い王国とされていたシキュオンやアルゴスの王国の起源の時期に主要な注意が向けられたのは、この理由からです。他方、民主政期アテネの文化などは、キリスト教徒からいえば異教徒の文化でしかなく、普遍史であるかぎりは、これに対してはせいぜいのところ七賢人やソクラテス、プラトン、アリストテレスなどの人名があげられる程度で、深い関心が払われることはほとんどありませんでした。

次に、啓蒙主義が新たに提出した世界史は、世俗的な文化史的世界史でした。ここでは古代ギリシアに対する基本的視点が「文化」に置き換わりましたから、その結果、ギリシア史像も大きく変わります。端的に言えば、普遍史ではほとんど無視されてきた、前五世紀以後の時代の文化が重視されるようになったのです。例えば**ガッテラー**がその一例です。かれは、普遍史を記述していた初期の著作『普遍史序説』（一七七一年）では、伝説的王国とギリシア民族の出自を聖書で説明することにこだわっていました。しかし、文化史記述に転換した『世界史試論』（一七九二年）では、古代ギリシア史に次のような時代区分を与え、普遍史を記述していたときには全く見られなかった新しい記述を行っています。(16)

Ｉ　アッシリア期
（一）伝説の時代
一　ペラスゴイ時代
二　ペラスゴイ・ヘレネス時代
（二）歴史時代
一　ヘーラクレイダイ侵入の時代
二　共和政および民族的統一性形成の時代
II　ペルシア期

ガッテラーは一八世紀の用語で語っていますので、一目見ただけではこれがギリシア史の時代区分だとは見えないかもしれません。しかし、「ヘーラクレイダイの侵入」は「ドーリア人の南下」と同義ですから、これは、今日「暗黒時代」と呼ばれている時代にあたります。かれはここから古代ギリシア史が「歴史時代」にはいるとしていますが、その開始を、ホメーロスの叙事詩を歴史書と位置づけて創世紀元二八〇〇（＝前一一八四）年のトロイ戦争終結においています。そしてそれ以前の、かつて重視していた諸王国の時代（ペラスゴイ、ヘレネスたちの時代）を「伝説の時代」とし、歴史時代とは明確に一線を画しました。「共和政および民族的統一性形成の時代」はポリス成立から紀元前六世紀いっぱいまで、つまり今日の「前古典期」にあたります。この時代については、かれは普遍史では無視されてきたアテネとスパルタの社会・政治を、当時では初めて新たに詳述しました。

最後の「ペルシア期」は前五世紀から前四世紀に至る今日の「古典期」にあたりますが、ここでは以前には全く取り組んでいなかったギリシア人の文化について、ギリシア哲学・芸術・諸技術から当時の生活にいたるまで、網羅的・百科事典的記述を与えています。ただその際かれは、啓蒙主義特有の世界市民的な進歩史観の立場から記述を展開します。逆に言えば、ギリシア人の「個性」に注目して一貫した歴史記述を与えるということはしません。かれは前古典期と古典期を連続させて記述することなく、それぞれを、かれが「アッシリア期」、「ペルシア期」と名づけた人類の文化段階の一構成要素と位置づけ、各段階の他の構成要素、中国、バビロニア、エジプトの文化と並べて記述しているのです。ガッテラーは前古典期と古典期の古代ギリシア文化を初めて世界史記述に取り込んだ一人ですが、しかしその記述の枠組みは、人類史的文化段階を優先するものだったのです。

一九世紀にはいると、ヨーロッパ人のギリシア史への視点がもう一度変わります。先にみたロマン主義、歴史主義的観点から、ギリシア民族の個性が注目されます。そこから、そうした個性ある文化が成立・発展そして死滅する、一つの**「自然史としてのギリシア史」**観察へと転換します。他方この間、古代ローマ史の記述も一新されました。革新の出発点となったのは、文献学的批判によりローマ史から伝説や神話を追放し、ランケにも大きな影響を与えたB・G・ニーブールでした。そして、ランケ、マルクスの例で見たように、ギリシア史はローマ史とともにヨーロッパの「古代」を構成する一つの要素となります。その文化も、ヨーロッパ文化に対する「古典」的文化として位置づけられてきます。また一九世紀は「市民社会」が発展する時代ですが、ギリシア、ローマ時代は、その市民社会のモデルを提供したという意味でも、「古典」的時代と意識されていきます。

こうしてこの時代を**「古典古代」**とする意識が広がります。また古典古代史の研究も、史料批判を通じ厳密な事実確認の手続きを踏んだ、科学的研究に転換します。

エーゲ文明の発見

ヨーロッパでは、一八世紀以来、「先史考古学」とは別に古代ギリシア・ローマへの関心から「古典考古学」が始まっていました。一七四八年にポンペイの遺跡が偶然発見され、その発掘が始まって古代遺跡への関心を高めました。そうしたなかで、「古典考古学」は『ギリシア美術模倣論』（一七五五年）、『古代美術史』（一七六四年）を著したヴィンケルマンによって出発点を与えられ、以後一九世紀を通じて盛んになり、一八七〇年にH・**シュリーマン**が行ったトロイの発掘で一つの頂点を迎えます。シュリーマンはこれに続いて、一八七六年、トロイを攻めたギリシア軍の総大将アガメムノンの居城とされ、ホメーロスが「黄金に富む」と枕詞をつけたミケーネ、続いてオデュッセウスの王国イタカ、ボイオティアの古都オルコメノス、アルゴリスの旧都でペルセウスの末裔が居城を構えたティリンスを、次々と発掘します。そしてこれらにより、これまで神話や伝説とホメーロスの叙事詩でしか知られていなかった**ミケーネ文明**が、遺跡を通してその実在を証明されたのです。

続いてイギリス人A・エヴァンズが、一九〇〇年、クレタ島クノッソスでミノス王、ミノタウロスと迷宮伝説などで名高い宮殿を発掘します。ミケーネ文明に先立って栄えた**ミノア文明**の発見です。両文明を**エーゲ文明**と総称しますが、啓蒙主義時代にいったん「伝説の時代」に格下げされていたギリシア人の先史時代が、こうして遺跡を通じて復活を遂げました。その後一九五二年にいたり、エヴァンズが命名した「ミノア文字（絵文字、線文字A、B）」のうち線文字Bがイギリスの技師M・ヴェントリスによって解読され、今日では文字史料によって研究できる歴史時代になっています。

エーゲ文明の「発見」は、こうして古代ギリシア人の歴史の出発点を明らかにし、ミケーネ文明から始まり、暗黒時代を経てポリスが成立し、ポリスの発展と結びついて古典期文化の最盛期を迎えるに至る、古代ギリシア史の新たな全体像をもたらしました。

またこの流れは、学問の世界にも変化をもたらしました。トロイの発掘、ミケーネの発掘によって、オリエントとヨーロッパの間に様々な交流があったことが明らかとなりました。これによって、つまり研究対象自体のつながりが明らかになったことによって、これまで別個に始まり別々に発展してきた古典考古学、オリエント研究、先史考古学が統合されて、一つの学問としての「（一般）考古学」を成立させることにもなりました。また同時に、専門研究者も生まれてきました。トロイやミケーネの発掘は、人文科学の一員としての**考古学**（Archaeologie）を、一九世紀末に成立させた契機ともなったのです。

そしてこのようにオリエント史、ギリシア史だけでなくローマ史も書き換えが進められた結果、一八世紀までの古代史が、一九世紀末になると全く一変してしまいます。

マックス・ウェーバーの古代論

さらに、このようにして各分野で今日につながる具体的内容が整理・統合されただけでなく、この革新された一九世紀的古代史像を基礎づける、総合的理論も提出されてきます。

一九世紀の古代研究を総合した代表的な人物として、『古代社会経済史』（原著は一九〇九年、渡辺金一・弓削達訳、東洋経済新報社）を著した**マックス・ウェーバー**（一八六四〜一九二〇）を挙げることができます。かれの問題意識の根本はヨーロッパとは何か、近代ヨーロッパでのみ資本主義が発生したのはなぜかということでした。この基本的問題意識のうえで、資本主義を発展させ得なかった一時代として古代がとらえられ、オリエント史、ギリシア・ローマ史が総合的に記述されています。そこでは古代と中世以後のヨーロッパの相違として、古代には奴隷制がつきまとっていること、中世以後の都市が生産都市の性格を有するのに対し古代のそれはいずれも消費都市であること、古典古代の経済・文化では沿海・河岸地域に重心があったのに対し、中世では重心が「内陸化」したところから出発することなど、重要な比較の視点があります。しかし最も重要なことは、オリエントとヨーロッパにおける古代国家の諸類型を軍事組織と官僚組織に注目して「理念型《イデアルテイプス》」の形で提示し、その発展について総合的に議論を展開した点にあります（**表7**）。

表7　古代国家発展の図式

マックス・ウェーバー『古代社会経済史』(1909)

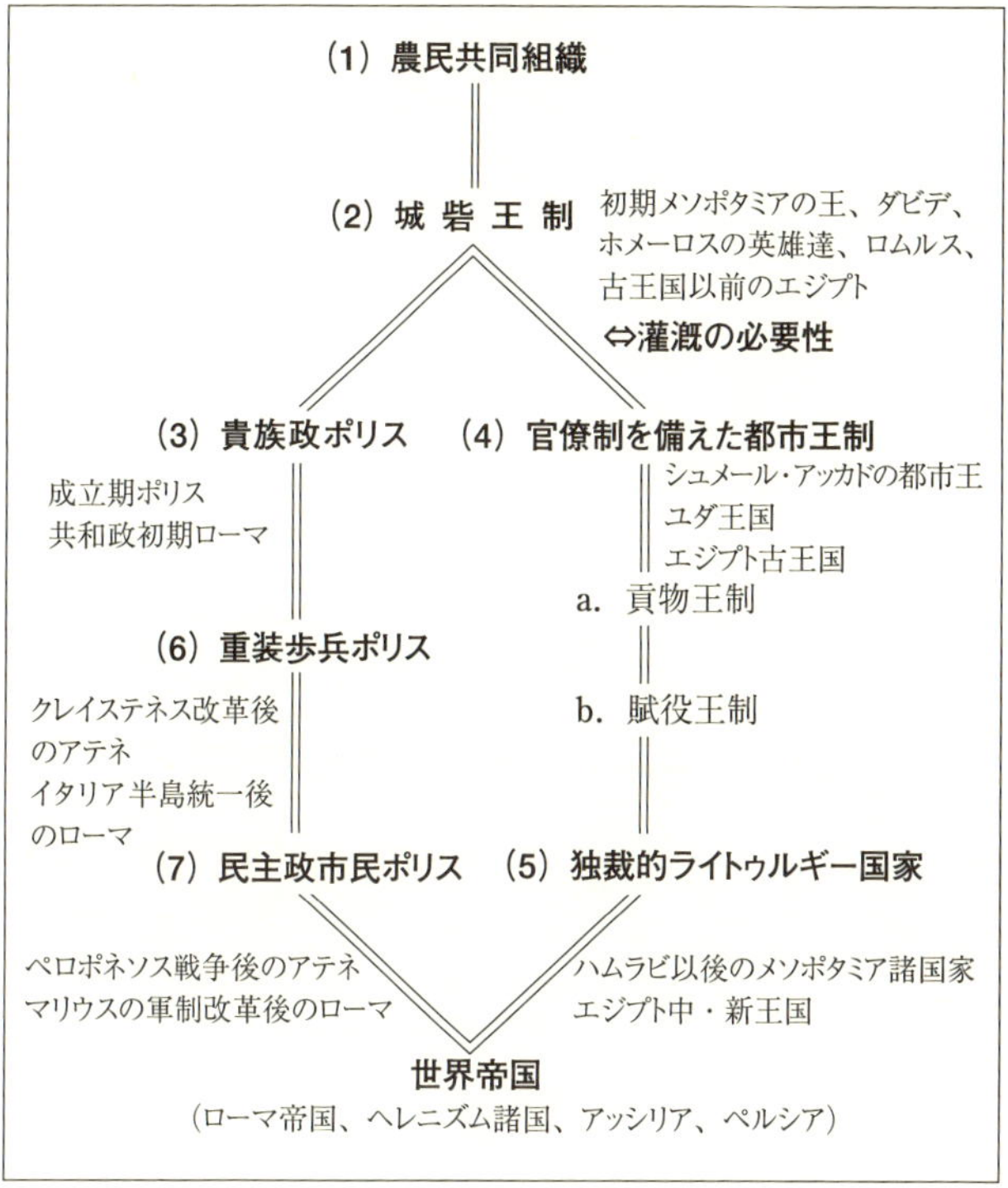

歴史の出発点に置かれているのは、(1)農耕と牧畜を行う自由人土地所有者の共同体、「農民共同組織」です。ここから(2)「城砦王制」が生まれます。王と従者団が商業で得た経済力を基礎に次第に広汎な支配権を獲得し樹立した王制で、「原始的軍事王制」とも呼ばれ、「ほとんどすべての古代の『国家』の開始にほかならない」とされます。ここまでは、オリエントもヨーロッパも同一の歩みを示しますが、この後は両世界で国家発展の道筋が分かれます。その原因については、「決定的であったものは、主としては灌漑の必要」とされています。運河の構築や河川の統制のためにオリエントでは労働力を直接的かつ強力に組織することが求められ、こうした共同経済的な契機が王権の強大化を促したのに対し、ギリシア、ローマではそのような契機が存在しなかったからです。

その後オリエントでは、シュメール・アッカド時代に、(4)「官僚制を備えた都市王制」の段階に進みます。それは、典型的には「貢物王制」から「賦役王制」という段階を経て官僚制を次第に強化し、次の(5)「独裁的ライトゥルギー国家」の段階へと進みます。「ライトゥルギー」とは「対国家奉仕義務」の意味で、この類型の国家は賦役、貢納、兵役、人頭税などの「公的負担を精巧に組織づけることによって国家需要を計画的に充足しようとつとめ、『臣民』を全く物体としてとりあつかう」国家で、「専制君主政《デスポット》」とも言い換えられています。ここでは、国家(官僚)による強力な経済統制が、資本主義の発展の芽をつみとってしまいました。これとは反対に、ヨーロッパ（ギリシア、ローマ）は、官僚制を否定した国家へと移行します。すなわち、「城砦王制」から、戦士である貴族の「軍事的に組織された都市共同体」、つまり、(3)「貴族政ポリス」に移行します。こうして戦士共同体として誕生したポリスは、その後の軍事組織の変化によって戦士の層が拡大するにつれ、(6)「重装歩兵ポリス」を経て(7)「民主政市民ポリス」へ発展するというコースを進みます。さらにこの発展と結びついて、自由な取引のなかで利潤を生み出していく経済活動＝古代資本主義経済が、一定の発展を見たといいます。

しかし最終的には、別々のコースをとった両世界は、同一類型の国家、究極のライトゥルギー国家である「世界帝国」に到達します。オリエントではアッシリア、アケメネス朝ペルシア、ヨーロッパではヘレニズム君主政諸国家、ローマ帝国がそれにあたります。

ローマは、マリウスによる軍制改革後、プロレタリアートなども含む広範な大衆を軍事組織に組み込み、この点では「民主政市民ポリス」の類型に属することになります。しかしギリシアと異なり、大衆を操縦する独裁者を出現させて「独裁君主政《ツェーザリスムス》」を産み出し、帝政ローマへと移行します。この間ローマでも、このようなヨーロッパ的な歩みをたどるなかで資本主義も一定程度は発展します。しかし、それはもともと、徴税請負制度などに見られるように、「政治寄生的性格」という弱点を持っていました。しかも、世界帝国となったローマは、三世紀のカラカラ帝以後、ライトゥルギー国家に移行します。そしてそのもとで完成されていった官僚制が、古代資本主義を窒息させていったとされます。結局古代では、こうして東西両世界でいずれも自由な私的経済が国家によって押しつぶされ、最終的には資本主義が発展の芽をつみ取られてしまう結果になったというのです。

このウェーバーの古代に関する議論は、マルクスの場合同様、近代資本主義をめぐる膨大な研究の一部でしかありません。またここから当然ながら、ウェーバーの影響は古代に関する議論だけでなく、中世と近代、またアジアについてなど、広汎な領域にわたっています。ここではとりあえず古代にのみ限りましたが、そこに限定しても、一九世紀の新たな歴史研究がもたらしたオリエント、ギリシア、ローマに関する諸研究が総合され、それら「古代」の諸国家すべてを視野のもとにおいた、体系的な理論が展開されていました。その結果かれの理論は、ヨーロッパで大きな影響力を持つこととなりました。

同様にかれは、マルクスとともに日本でも大きな影響を与えてきました。かれは「村川堅太郎教授を源流とする我国のギリシア史研究の動向に、〔中略〕大きな影響を与えた(17)」といわれています。その村川堅太郎氏がポリスを「共同体国家(18)」と規定し、また弓削達氏がポリスとローマ人のレス＝プブリカないしキーウィタースの両者を「市民共同体(19)」と規定する場合でも、マルクスの共同体論とウェーバーの考え方が基礎になっています。

　またウェーバーは、太田秀通氏の古代ギリシア論でも、マルクスと並んで、決定的な役割を果たしています。氏は「ミケーネ文書」を自ら詳細に研究して著した『ミケーネ社会崩壊期の研究』（一九六八年、岩波書店）で、「ミケーネ的王国」の歴史的位置を考える際に、ウェーバーの古代世界発展の図式は「大局的には、今日なおだいたい妥当する」と評価し、これを基礎にして議論を行っているのです。氏は「東地中海世界」という一つの歴史的世界を設定し、この世界における国際的関連のなかで形成された「ミケーネ的王国」が、国家としては西アジアと同様の「官僚制を備えた都市王制」、そのうちの貢物王制の段階にあったと位置づけます。ウェーバーは、古代オリエントの専制君主政は「官僚制を備えた都市王制の一層原始的な諸形態から断絶することなしに発展してくるのが普通である」とし、「この専制君主政と官僚制を備えた都市王制との間に見られる差異は、前者がいっそう合理的な組織をもつという点に過ぎない」といっています。したがって「ミケーネ的王国」は、西アジア同様に古代専制国家へと進んだ可能性があったわけです。

　他方太田氏は、支配下のギリシア人共同体が、マルクスがアジアの専制国家の基礎にあるとした「アジア的共同体」ではなく、「古典古代的共同体」を形成していたことを示します。アジア的な特質をもつ国家に対し、共同体はヨーロッパ的な特質と発展方向をもっているわけです。この国家と共同体の「ねじれ」の関係は、前一二〇〇年頃のドーリア人の南下によって始まった「東地中海世界の構造変化」のなかで、ミケーネ的国家のほうが滅亡するという形で解消されます。この結果いったんアジア的な国家の支配下に組み込まれていた古典古代的共同体の側に、あらためて発展の機会が与えられたことになります。そして「暗黒時代」とは、このようにして復元した共同体の発展の上で再度「分解」がおこり、貴族・平民・奴隷への階層化が進んだところで、ポリス形成に向かう時代だとされます。成立期のポリスが王政ではなく貴族政をとること、しかしそれが様々な共同体的伝統も同時に基礎としていることの理由も、共同体の復元という経緯から説明されます。

これらはまだほんの一例にすぎませんが、ウェーバーは、こうして今日の日本における古代研究の基底を支え続けているということができるでしょう。

近代的三区分法の確立――「中世」の自立

最後に、近代的三区分法の確立ということに触れておきたいと思います。

ランケの時代区分では、古代と「中・近世《neuere Zeit》」の区分に対し、中世と近代の区分は二次的なものでした。しかし他方で、一九世紀には中世に対する関心が高まり、啓蒙主義時代には低調だった中世研究が発展しました（一八一頁）。その結果世紀後半に至り、中世に関する「ドイツ古典理論」が形成されます。そこでは中世社会は近代とは全く異なった社会、領主・農奴身分を基軸とする「**封建社会**」と特徴づけられます。具体的には、**農奴制**に基づく**荘園制度**を基礎として成立・発展し、その発展の過程で生みだした中世都市（貨幣経済）の展開のなかで、やがて荘園制度そのものが崩壊して近代に移行する時代としてえがかれます。中世は独自の「個性」を持つ一つの時代、古代、近代と並ぶ、発展段階論的意味で独自の「質」をもったヨーロッパの一時代とされるわけです。

こうした考え方の基礎には、歴史主義的観点が横たわっています。さらに、一九世紀後半のヨーロッパは市民社会が展開し、産業革命を経て資本主義が大きく発展して、社会全体が根本的変貌を遂げた時代です。この変化が深まるにつれて、近代世界と中世的世界の異質性がますますあらわになった時代であったともいえます。このような現実世界の変化もまた、「中世」を時代区分上の一時代として「自立」させる契機となったと考えられます。ケラーによって一七世紀末に提案され、世界史の時代区分として広められた「啓蒙主義的三区分法」は、こうして一九世紀後半に至って、「科学的世界史」と結びついた「近代的三区分法」となったのです。

4——一九世紀西欧的世界史の諸問題

「歴史学の世紀」一九世紀は、歴史学研究における「英雄時代」と呼べる時代です。新たな研究領域の確立過程でも、各分野の発展過程でも、数多くの巨人たちが現れ、おのおのの分野で今日なお一定の影響力を持つ「古典学説」が練り上げられました。そして、大きくは前節で述べた三つの要素（先史時代の発見、オリエント・エーゲ文明の発見＝古代像の明確化、中世の自立）によってランケの世界史像の修正と補充が行われ、その結果、一八世紀までの世界史とは全く異なった、**一九世紀西欧的世界史**が成立したといえるでしょう。今、その公約数的基本構造を図示すると、左のようになります（図10）。

この世界史は、「発展」を実現したヨーロッパ、古代段階の専制君主政にとどまっているアジア、先史時代の段階になお停滞しているアフリカなどから成る「**近代的な三重構造の世界**」と結びついていています。しかもこの世界像は、考古学や民族学（人類学）、あるいは進化論から発生した社会進化論など、様々な「科学的」な装いを持つ支柱によって支えられていることが新しい特徴です。もちろん「科学的歴史学」も、その大きな支柱でした。

この一九世紀西欧的世界史像は、第二次大戦後、とりわけ一九七〇年代以後、ヨーロッ

図10　19世紀西欧的世界史像

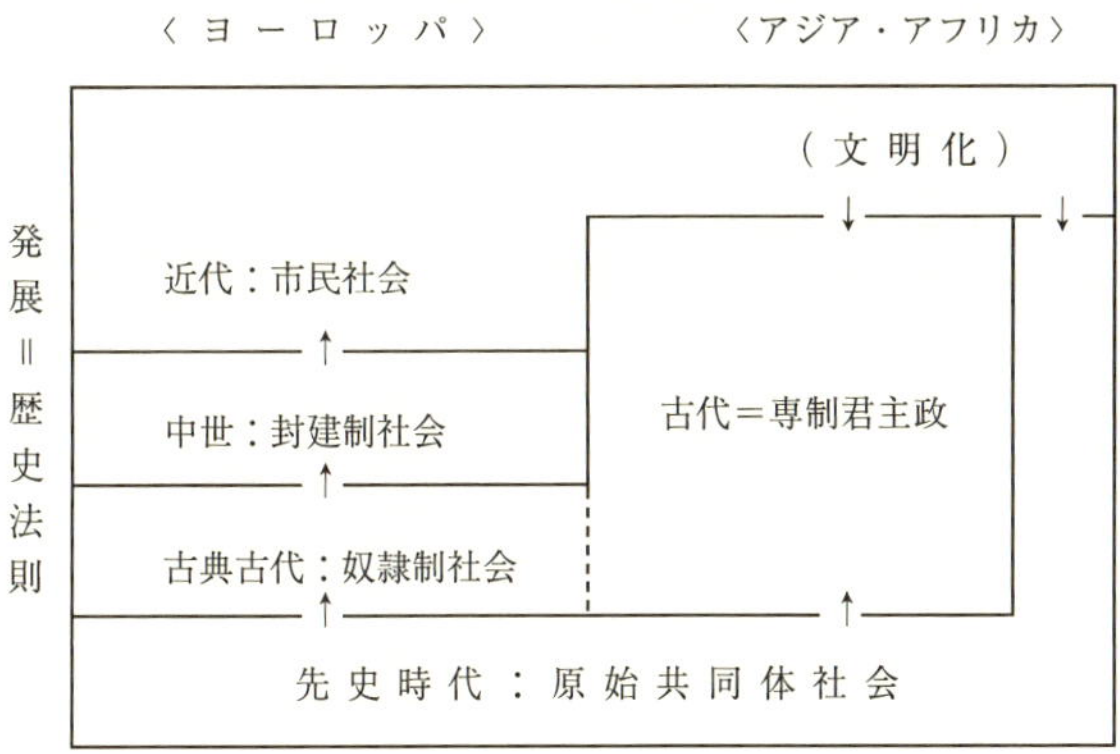

パ外から、またヨーロッパ人自身によって、さまざまな側面から批判を受けるようになります。ここではそうした批判を踏まえながら、その問題点を簡単に見ておきたいと思います。

一九世紀的な西ヨーロッパ中心主義

上に示した基本構造図については、概略図では表現できなかった重要な問題があります。それは、ここで示されている「ヨーロッパ」は、今日のヨーロッパ全体を指すというよりは、実態からいえば、ヨーロッパの一部、西ヨーロッパに限定されるということです。

そこからは、まず東ヨーロッパが除かれます。北欧諸国も、西ヨーロッパの周辺として除かれます。ランケは、「段階から段階へと発展する精神力」を持ち「世界史的運動」に参加したのは、唯一、「ラテン風ゲルマン風民族」のみであったとしていました。他方、マルクスはフランス語版『資本論』（一八七二〜七五年）でドイツ語版『資本論』（第一巻は一八六七年）を改訂し、そのなかで、「本源的蓄積」はイギリスで古典的形態を取るものの、「だが、西ヨーロッパの他のすべての国々も同じ過程をへてきた」と明示しました。晩年のマルクスも、ロシアの女性革命家ヴェラ・ザスーリチの質問に答え、上の改訂部分を指摘しながら、資本主義創成という「この運動の『歴史的宿命性』は西ヨーロッパ諸国に明示的に限定されている」と繰り返しています（『マルクス＝エンゲルス全集』第一九巻、大月書店）。こうして実際には、歴史法則でもある「発展」を実現したのは、一九世紀に列強に位置していた諸国の地域、つまり、西ヨーロッパ列強のみであったのです。

もちろんこの判断には、資本主義を発生させ、また「近代化」を実現してきたのが西欧諸国であったという、現実的根拠があったとはいえます。しかし問題は、この西欧の「発展」を世界史における「普遍的な物差し」として考えているということです。この点は二〇世紀のヨーロッパや日本で批判の対象となってきたことは周知の通りです。

アジア・アフリカ社会＝停滞社会

「発展」を実現した西ヨーロッパと対照的なのは、アジアやアフリカの位置づけです。しかし、例えば、一九世紀においても文字を持たず、なお石器を使用していた民族も存在したことは事実としても、それだけでこれらの人々が「先史時代」の段階に停滞していると裁断できるのでしょうか。かれらは、「先史時代」の人々と全く同じ人々なのでしょうか。文字を持たない、あるいは石器という道具を使用しているという点では「先史時代」と同じであるとしても、人類の一員であるかれらにもまた、一九世紀に至る長い歴史があります。その長期にわたる歩みの過程で、社会・文化も全く発展させなかったとは考えられないのではないでしょうか。しかし、上のような西ヨーロッパ的観点からは、アジアやアフリカにおける「発展」を見る眼が育つことはありませんでした。

このように他の地域の歴史を見る「眼」を曇らせるにあたっては、当時の現実世界における西ヨーロッパの位置も関与したと考えられます。一九世紀はイギリスを先頭とする西欧が世界の頂点に立ち、かれらによって地球全体が強固な一つのシステムに統合されつつあった時代です。このような現実と結びついて、西欧人は世界に先駆けて近代化を実現したがゆえに、近代的な、人類に普遍的な価値・制度(=文明)を教えることによってアジア・アフリカを導き文明化すべき任務をもつとの、一九世紀ヨーロッパに特有の意識が、そこには横たわっていました。このようなアジア人・アフリカ人への蔑視を含む視点からは、対象とするおのおのの民族や地域の社会・文化について、自らのそれと同等な価値を有し、独自の意味を持つものとして考えたり研究したりするという意識は出てきません。

自生的発展観

一九世紀的世界史は、ヨーロッパ史については全く問題のない記述を与えていたのでしょうか。そうとはいえません。ヨーロッパにのみ「発展」を認めたということは、その歴史を見るとき、それが他の世界から影響を受けたということを否定し、自己の内部だけで「発展」が完結しているという立場からすべてを理解しようとすることになります。こうした考え方にある問題を、前川貞次郎氏は「自生的発展観[20]」と表現されています。

一例として、「ギリシア古典文化」の問題を取り上げてみましょう。まず、「ギリシア古典文化」とヨーロッパの関係を見ると、この関係は古くから意識されていたわけではありませんでした。世界史記述の場面で見た場合、普遍史では、ヨーロッパ人はこの文化を長い間自らの文化の出発点とすること自体を否定してきました。「ギリシア古典文化」がヨーロッパで歴史記述の対象になったのは一八世紀の啓蒙主義からであり、ヨーロッパ世界の「古典」=手本である世界とされるに至ったのは一九世紀からでした。この結果一九世紀になると、ローマを経由しての中世ヨーロッパへの継承や、とりわけ、ルネサンスの時代における「再生」が記述されるようになります。そしてこの記述だけを見ると、ヨーロッパは、まさしく古代ギリシア以来「自生的」に発展してくるように見えます。
もっとも、これに関しては、ルネサンス人は事実として古代ギリシア文化を「再生」させたのではなかったかという反問もあるでしょう。ルネサンスの時代に、その運動に参加した人々の間に、ギリシア文化を自らの祖とする意識があったことは事実です。しかし、これについても、例えば樺山紘一氏は次のように述べておられます。
〈ここでの古代の復活とは、べつの言い方をすれば、地中海古典文明の『ヨーロッパ』による簒奪であった。ギリシアは『ヨーロッパの古代』という名目をおびて、復活されたのである。〔中略〕ローマとギリシアとの文明は、ヨーロッパによって、理念上は、自らの源泉として専有される。ほとんど簒奪というべきだとしたのは、ローマは狭義にイタリアの祖というべきであるし、ギリシア文明を受け継いだのは、ヨーロッパにさきんじて、まずもってビザンティンとイスラムの両世界だったからである〉(樺山紘一「意識されたヨーロッパ」、『ヨーロッパ文明の原型』民族の世界史8、山川出版社、一九八五年)
氏は、このように、「ヨーロッパ」は、ローマ文明をイタリアから、ギリシア文明をビザンティンとイスラム世界から「簒奪」することによって、地中海古典文明を自らのアイデンティティの寄託先としたとされています。具体的にいえば、当時の人々の意識をG・ヴァザーリが、古代ギリシア・ローマ＝完成期→中世＝没落期→一四世紀に始まるその復興期というテーゼで表現し、ルネサンス（再生、rinascita）の観念を確立します。このテーゼにおける古典＝手本としての「古代」の位置づけは、その後、各国における「古典主義」思想などにおいて受け継がれます。歴史学のみは遅れて、啓蒙主義を経て一九世紀に、「古典古代」の概念が確立したともいえるでしょう。ギリシアも「ヨーロッパ」に位置してはいますから、このかぎりでは、いずれにおいてもヨーロッパは自らの世界の内部にその文明の出発点を持っており、そこから発展してきたということになってしまいます。

しかし、ここで樺山氏が敢えて「簒奪」という強い言葉を使用しておられるのは、このようなルネサンス人の自己了解のあり方の問題点を強調するためだと思われます。つまり、ルネサンス人の古代論では、古代ギリシアの文明を継承・発展させてきたのがビザンティン、イスラムの両世界であったこと、さらに「ヨーロッパ」がこれを両者から受け取ったという事実を、ことさら無視しているからです。そしてこのことは、一九世紀のヨーロッパ人の「古典古代」論にもいえるとわたしは考えています。

また、わたしが中国文明のヨーロッパ歴史学に与えた衝撃を強調してきたのも、同じことを指摘したいがゆえでもありました。ヨーロッパとアジアの間には、過去に何度も、ダイナミックな文化的交流や影響関係が現実にありました。しかし、一九世紀におけるヨーロッパ史では、そのことは重視されることはありませんでした。こうしたゆがみは、アジア「停滞論」と結びついた、「自生的発展観」を原因としていたと考えられます。アジアを「停滞」でとらえる以上、アラビア文化、中国文化などがヨーロッパに与えた影響を正しく評価しようとする意識は生まれません。逆に自らの内部にすべて発展の契機を求め、そのことによって、ヨーロッパ史自身がゆがめられるという結果をもたらしたのです。

国民主義的歴史

最後に、上で述べた「西ヨーロッパ」も、一つの世界ではありませんでした。それは、現実にもまた「列強」の集合体にほかなりませんでした。このことは歴史記述にも現れていますので、一九世紀ヨーロッパ歴史学の共通の問題点として、国民主義的傾向という性格を挙げておきたいと思います。一九世紀はヨーロッパを先頭に国民国家が発展し、この原理が世界を覆った時代でした。この原理が歴史学にも大きな影響を与えていたのです。

それは、すでにランケに現れています。『一四九四年から一五一四年に至るローマ系及びゲルマン系諸民族の歴史』の「序文」で、ローマ系・ゲルマン系諸国民の歴史こそ「全近世史の核心なのである」としつつ、その具体的叙述に関しては、「それは単一の歴史ではなく、諸歴史にすぎない」[21]と述べています。実際、『世界史概観』(一八五四年)を見ると、すでに、カロリング朝の時代に、西ヨーロッパ諸国民の出発点をみています。具体的にはスペイン、ポルトガル、イギリス、フランス、さらにドイツのプロイセンとオーストリア、最後にアメリカ、ロシアの発展をたどりますが、ここでは、横軸には発展段階を示す「時代」をおきながら縦軸には国民国家をおき、このような座標の上で諸国民国家の個性とその発展史を記述しているといえます。端的にいえば、それは西ヨーロッパ諸列強の歴史を束ねたものとでもいえそうです。そしてそこでは「ヨーロッパ」は、これらの諸国民国家の集合体＝諸国家体系としてしか現れていないといえるでしょう。

このように国民国家を単位とし、また国民国家を是とする立場で行う歴史記述については、今日、様々な側面から批判が行われています。それには、二〇世紀における世界の大きな変化が関係しています。

二〇世紀は、二度の世界大戦と戦後の冷戦時代、さらに社会主義諸国の凋落《ちょうらく》といった激動が続いた一世紀でした。また原子力などの巨大科学や生命科学が起こり、人口・食糧問題、環境問題、石油などの資源の問題等々、一九世紀には考えることもできなかったような地球単位の諸問題が起こった時代です。経済・文化活動が国境を越えて拡大する一方、情報革命のなかで、わたしたちの日常生活にも地球大の世界の諸問題が緊密に結びついていることが、日々実感されるようになった時代でもあります。このような動きや諸問題はいずれも「国民国家」という単位を超えた性格を有しており、国民国家の単位では解決できない要素を含んでいます。実際これに対応するために、ＥＵをはじめとして、国民国家間の地域連合の試みも始まっています。しかもなお、第三次世界大戦は起こりませんでしたが、地域紛争、国家間の戦争が絶えません。逆に言えば、「国民国家」の限界や問題点が、様々な側面から明らかになってきた時代ともいえます。

このような時代の推移のなかで、歴史学もまた大きく変わってきました。そこで最も大きな問題点の一つとされたのが、一九世紀の歴史学における国民主義的傾向、あるいは国民国家を基礎とした歴史記述であったことは、不思議ではないともいえましょう。今日の問題を出発点として「国民国家」の理念と現実が改めて吟味の対象となると、それにともなって、一九世紀的歴史学自体も批判的検討の対象となり、そこから新しい歴史学が生まれてきたのです。

他方、今日の歴史学の「個性」が一九世紀的歴史学のそれと異なってきているとはいえ、世界においても日本においても、決してそれと無関係ではありません。この一九世紀的歴史学の批判と継承の問題は現在の歴史学の大きな課題となっていますが、それについては、とても本書で述べることはできません。ここでは、最後に、そうした課題を考えるためにも、またこれからの「世界史」を考えていくためにも必要と思われることとして、戦後の日本における「世界史」について、その歩みおよびそれとヨーロッパの世界史記述との関係を、ごくかいつまんで見ておきたいと思います。

5――一九世紀西欧的世界史と戦後日本における世界史

現在、高等学校では「世界史」が必修科目として教えられています。この「世界史」という科目が日本で誕生したのは、一九四九(昭和二四)年でした。ここから、戦後日本における「世界史」記述の歴史が始まったといえます。戦後日本で始まったこの世界史の基礎となったものこそ、ここまで述べてきた「一九世紀西欧的世界史」でした。ただし日本における「世界史」は、一九七〇年代以後、その第二段階にあるとわたしは考えています。

「戦後歴史学」による世界史――一九七〇年まで

第二次大戦が終結した一九四五(昭和二〇)年から五〇年代初期にかけては、「戦後民主主義の時代」ともいわれます。この期間は、「民主化」、「文化国家」の建設が声高に叫ばれ、官・民をあげて国民国家日本の「近代化」が追求された一時代でした。

この戦後民主主義の時代に誕生したのが、「戦後歴史学」でした。そこでは、**「世界史の基本法則」**が**「比較史の方法」**によって追究されました。「近代」を実現したヨーロッパの歴史をモデルとしてそれが持つ普遍的法則性を明らかにすることにより、当時急務であった日本の「近代化」という実践的課題への歴史学の貢献が目指されていたのです。

この「世界史の基本法則」の解明にあたって最も大きな影響を与えた一人が、大塚久雄氏でした。氏の理論を支えていたのは、マックス・ウェーバーと並んでマルクス、とりわけ『資本制生産に先行する諸形態』を中心とするその歴史理論でした。氏は、『共同体の基礎理論』（一九五五年）の序論で、基本的な考え方を次のように定式化しています。

〈過ぎ去った悠久な世界史の流れのうちには、アジア的、古典古代的、封建的、資本主義的、及び社会主義的と呼ばれる生産様式の継起的な諸段階が存在した〉

先に引用したマルクスの「定式」が踏襲されていることがわかると思います。こうして、大塚久雄氏をはじめとする「戦後歴史学」では、**一九世紀西欧的世界史の直接的継承**が行われました。そこでは西欧世界の歴史から導き出された「法則」を物差しとして、日本を含む諸国民国家ごとの歴史的位置を測定する＝比較するという方法が大きな役割を果たすことになり、こうした観点に基づく諸研究が、一九六〇年代までの主要な潮流となっていました。そして先史時代・古代・中世・近代という時代区分が、そこでは法則性を明示するものとして重要な役割を果たしました。またその結果、今日「西欧中心的世界史」とか国民国家的視点と批判される世界史像が日本の国民に提供されることにもなりました。

現代日本の世界史――一九七〇年以後の世界史

この世界史が変化する基盤となったのは、「戦後世界」の転換、つまり一九七〇年代からわたしたちの目に明らかになってきた「地球社会」という世界の状況です。わたしはその内容を「**地球規模での多元化と一体化の同時進行**」と呼んでいますが、このような事態は、人類史上初めての現象だといえます。もちろんこの動きは七〇年代に突然始まったものではありません。こうした新たな方向の動きに対応しようと、すでに一九六二年に歴史学研究会が「世界史基本法則の再検討―歴史像再構成の課題」を定めていました。

その結果成立してきたのが『岩波講座　世界歴史』(一九六九～七一年)、あるいは第四次改訂高等学校学習指導要領(一九七〇年)の世界史像だといえます。

この両者では、もはや「世界史の基本法則」は登場しません。「戦後歴史学」におけるような意味での古代・中世・近代も、世界史の構成原理にはなっていません。時代区分は前近代と近代に分ける二分法が主要な枠組みとなっています。そして前近代には「文化圏」(学習指導要領)あるいは「地域世界」(岩波『世界歴史』)が設定され、時間軸＝縦軸にそって通観することで各地域の人々の行動様式や文化その他、個性的特質を記述しています。これに対し近代以後の記述は、空間軸＝横軸が重視され、かつては多元的に併存していたこれらの「文化圏」ないし「地域世界」が「一体化」していく過程を中心に置いて叙述されます。そして現代の世界を構成している多元的な要素を、いわばこの縦軸と横軸二つの座標軸によって位置づけ、説明しようとしているといえるでしょう。また、これによって、戦後歴史学が七〇年代に入って支持者を失った事情も、明らかになります。「地球社会」のなかで、普遍的歴史法則あるいは各国民国家がおのおの「近代化」に向かって進む歴史ではなく、多様な要素が一体化して運動している世界の歴史が求められるようになったのです。

一九七〇年代には、歴史学でもまた、「戦後歴史学」から、「社会史」への転換が生じました。「社会史」はフランスの「アナール派」と深い関係を持ちながら展開されてきました。それが最も強調するのは、「国民国家」的な視点を基礎とする戦後歴史学と一九世紀的歴史学の克服です。また世界史の構成については、八〇年代に、社会主義国の勢力退潮とも結びついてマルクス主義の影響力も急激に衰え、これにかわって**ウォーラーステイン**の「世界システム論」が日本に紹介され、その影響力を強めました。かれの理論は、社会学、マルクス、ブローデルに代表されるアナール派歴史学の三つの系統を受け継いだものといわれます。

　ウォーラーステインが受け入れられたのは、一つには、その理論を支えている諸要素がすでに日本でも広く受け入れられてきた経緯を持つものだったことにあると思います。そこでは古来各地に併存してきた「世界＝帝国《world-empire》」からなる時代に対し、一六世紀以後の世界が「世界＝経済《world-economy》」という形態をとったシステムとして一つの全体としてとらえられ、「中核」―「周辺」―「半周辺」といった諸地域の相互関係によって成り立っている、一つの地球規模の構造体とされています。このような観点は七〇年代以後の世界の状況から発想する現代の人々にとって受け入れやすいものであること、さらに、七〇年代に成立した日本における新しい世界史ともよく対応しており、国民国家を単位としてきた「戦後歴史学」が与えてきたものにかわる、最も有効な世界史の理論的枠組みと受け取られるようになったからということもまた、今日の影響力に結びついていると思います。

　そしてこれらの新しい要素を取り入れながら、七〇年代の世界史の構成をほぼ踏襲するかたちで編集されているのが、新版『岩波講座　世界歴史』（一九九七〜二〇〇〇年）と現行の学習指導要領（一九九九年）だといえるでしょう。つまり、現在の日本における世界史は、**一九七〇年以後の現在＝「地球社会」における、日本からみた世界史**という基本性格を有しているのです。

過去への問いかけが変わると、当然、探求の仕方も、その結果提出される過去の理解のあり方も変わります。本書でここまで見てきたように、それ自体が歴史的性格を持ち、時代とともに変化するということもまた、歴史学の基本的性格の一つでした。戦後日本の「世界史」もまた、さまざまな意味で、「世界」と共に歩んできたのです。

第5章　註

1　東田雅博『大英帝国のアジア・イメージ』ミネルヴァ書房　一九九六、一頁。七九頁。
2　吉岡昭彦『インドとイギリス』岩波新書　一九七五、一七九〜一八六頁。
3　早島瑛「近代ドイツ大学史におけるルートヴィヒ・リース」(関西学院大学商学研究会『商学論究』第五〇巻一・二号　二〇〇二所収)による。
4　勅使河原彰『日本考古学史』東京大学出版会　一九八八、二頁。
5　今西錦司『人類の誕生』河出書房　一九六八、三八頁以下。
6　H・J・エガース、田中琢・佐原真訳『考古学研究入門』岩波書店　一九八一、五三頁。
7　白石浩之『旧石器時代の社会と文化』山川出版社日本史リブレット　二〇〇二、三頁。
8　八杉竜一『ダーウィンの生涯』岩波新書　一九八三、二一五頁。
9　G・チャイルド、ねずまさし訳『文明の起源　上』岩波新書　原著は一九三六、三六頁。
10　江原昭善・渡辺直経『猿人アウストラロピテクス』中央公論社　一九七六、九九頁。
11　河合信和『ネアンデルタールと現代人』文春新書　一九九九。

12 詳しくは、拙著『聖書vs.世界史』講談社現代新書　一九九六、を参照されたい。
13 鈴木八司『王と神とナイル（沈黙の世界史2）』新潮社　一九七〇、五〇頁。
14 江上波夫『聖書伝説と粘土板文明（沈黙の世界史1）』新潮社　一九七〇、六三頁、六五頁。
15 山本茂・前川和也「シュメールの国家と社会」『岩波講座世界歴史　古代1』一九六九、八六頁。
16 拙著『キリスト教的世界史から科学的世界史へ』勁草書房　二〇〇〇、を参照されたい。
17 伊藤貞夫『古典期アテネの政治と社会』東京大学出版会　一九八二、二四三頁。
18 村川堅太郎、上掲書（第1章　註5）、三〇頁。
19 弓削達『地中海世界とローマ帝国』岩波書店　一九七七、四四頁。
20 前川貞次郎編『入門西洋史学』ミネルヴァ書房　一九六五、三四三頁。
21 林健太郎・澤田昭夫編、上掲書（第1章　註4）、四六〇頁。

おわりに

　これまで筆者は、特殊研究として、ドイツ啓蒙主義歴史学が歴史学史上で果たした役割について検討してきた。この研究を通じてわかってきたこと、それは、ドイツ啓蒙主義歴史学は、文化史的世界史を提出することでそれ自体史学史上独自の地位を有するとともに、またキリスト教的世界史から世俗的世界史への転換点となり、今日の科学的歴史学への出発点をなしているということであった。これについては、別に『キリスト教的世界史から科学的世界史へ』（勁草書房、二〇〇〇年）で一つのまとめを行った。本書はいわばこうした筆者のドイツ啓蒙主義歴史学研究の落とし子でもある。本書のテーマには早くから取り組んではきたが、本書の骨格が定まってきたのは、ドイツ啓蒙主義研究にある程度の目処がつく過程と併行してのことだったからである。

　というのは、まず、ドイツ啓蒙主義歴史学を正しく位置づけるためには、それ以前のキリスト教的世界史＝普遍史について調べる必要があった。普遍史については、講談社現代新書の一冊、『聖書vs.世界史』（一九九六年）で紹介した。しかし、筆者にとって、ドイツ啓蒙主義歴史学の位置をより明確にするためには、さらに比較の対象を拡大する必要があった。その作業の結果が、本書で扱った、西欧の古代と近代（一九世紀）における世界史記述の紹介に結びついている。筆者としては、これに戦後日本における世界史を加えてはじめて、本書のテーマに関しこれまで進めてきた作業が完結する。しかし今回は、戦後日本における世界史像の変遷については、本文末尾でそのアウトラインを述べるにとどめた。
本書の執筆は筆者が公務で極めて多忙な時期と重なったが、さいわい、予定どおりに最初の原稿を講談社現代新書出版部の阿佐信一氏に手渡すことができた。しかし、氏の助言がなければ、本書は現在の形にならなかったであろう。ここに記して感謝申し上げたい。

平成一五年　九月一六日　　岡崎勝世

N.D.C.209 268p 18cm
ISBN4-06-149687-5

講談社現代新書 1687

世界史《せかいし》とヨーロッパ　ヘロドトスからウォーラーステインまで

二〇〇三年一〇月二〇日第一刷発行　二〇二〇年九月七日第一三刷発行

著者　岡崎勝世《おかざきかつよ》

発行者　渡瀬昌彦

発行所　株式会社講談社
東京都文京区音羽二丁目一二―二一　郵便番号一一二―八〇〇一
電話　〇三―五三九五―三五二一　編集（現代新書）
〇三―五三九五―四四一五　販売
〇三―五三九五―三六一五　業務

装幀者　中島英樹

印刷所　豊国印刷株式会社

製本所　株式会社国宝社

定価はカバーに表示してあります　Printed in Japan

「講談社現代新書」の刊行にあたって

教養は万人が身をもって養い創造すべきものであって、一部の専門家の占有物として、ただ一方的に人々の手もとに配布され伝達されうるものではありません。

しかし、不幸にしてわが国の現状では、教養の重要な養いとなるべき書物は、ほとんど講壇からの天下りや単なる解説に終始し、知識技術を真剣に希求する青少年・学生・一般民衆の根本的な疑問や興味は、けっして十分に答えられ、解きほぐされ、手引きされることがありません。万人の内奥から発した真正の教養への芽ばえが、こうして放置され、むなしく滅びさる運命にゆだねられているのです。

このことは、中・高校だけで教育をおわる人々の成長をはばんでいるだけでなく、大学に進んだり、インテリと目されたりする人々の精神力の健康さえもむしばみ、わが国の文化の実質をまことに脆弱なものにしています。単なる博識以上の根強い思索力・判断力、および確かな技術にささえられた教養を必要とする日本の将来にとって、これは真剣に憂慮されなければならない事態であるといわなければなりません。

わたしたちの「講談社現代新書」は、この事態の克服を意図して計画されたものです。これによってわたしたちは、講壇からの天下りでもなく、単なる解説書でもない、もっぱら万人の魂に生ずる初発的かつ根本的な問題をとらえ、掘り起こし、手引きし、しかも最新の知識への展望を万人に確立させる書物を、新しく世の中に送り出したいと念願しています。

わたしたちは、創業以来民衆を対象とする啓蒙の仕事に専心してきた講談社にとって、これこそもっともふさわしい課題であり、伝統ある出版社としての義務でもあると考えているのです。

一九六四年四月　**野間省一**

世界史Ⅰ

日本語・日本文化

105 タテ社会の人間関係 中根千枝
293 日本人の意識構造——会田雄次
444 出雲神話——松前健
1193 漢字の字源——阿辻哲次
1200 外国語としての日本語——佐々木瑞枝
1239 武士道とエロス——氏家幹人
1262 「世間」とは何か——阿部謹也
1432 江戸の性風俗——氏家幹人
1448 日本人のしつけは衰退したか——広田照幸
1738 大人のための文章教室 清水義範
1943 なぜ日本人は学ばなくなったのか——齋藤孝
1960 女装と日本人——三橋順子
2006 「空気」と「世間」——鴻上尚史
2013 日本語という外国語 荒川洋平
2067 日本料理の贅沢——神田裕行
2092 新書 沖縄読本——下川裕治 仲村清司 著・編
2127 ラーメンと愛国——速水健朗
2173 日本人のための日本語文法入門——原沢伊都夫
2200 漢字雑談——高島俊男
2233 ユーミンの罪——酒井順子
2304 アイヌ学入門——瀬川拓郎
2309 クール・ジャパン!? 鴻上尚史
2391 げんきな日本論——橋爪大三郎 大澤真幸
2419 京都のおねだん——大野裕之
2440 山本七平の思想——東谷暁

P